DD649128

LES GUETTEURS
DES ÉTOILES

SCIENCE-FICTION

Collection dirigée par Jacques Goimard

ROBERT SILVERBERG

LES GUETTEURS DES ÉTOILES

Traduction d'Arlette Rosenblum

PRESSES POCKET

Titre original :

THOSE WHO WATCH

ISBN 2-258-01936-8

I

L'EXPLOSION projeta un éclat d'une intensité difficilement soutenable sur le fond noir du ciel sans lune du Nouveau-Mexique. Ceux qui regardèrent en l'air à cet instant précis – et ils furent nombreux à le faire – eurent l'impression qu'une nouvelle étoile s'était momentanément épanouie en une incandescence bleu blanc.

Cet éclat brillant se déplaça selon un cours nord-est-sud-ouest. Il avait pris naissance au sein d'une gerbe crépitante dans les montagnes sacrées à l'est de Taos et crût en violence tandis qu'il taillait une route passant grosso modo à la verticale de la vallée du Rio Grande [1], survolant les petits pueblos [2] poussiéreux et la cité grouillante de Santa Fe. Juste au sud de Santa Fe, l'éclat devint insupportable et, quand la radiation subite frappa les rétines, les yeux se détournèrent. Mais, à présent, le

1. Long de 2 900 kilomètres, le *Rio Grande del Norte* prend sa source dans les États-Unis (où il arrose Albuquerque) et – à partir d'El Paso – sert de frontière entre le Mexique et les États-Unis. Il se jette dans le golfe du Mexique. *(N.d.T.)*

2. Village indien du Nouveau-Mexique, de l'Arizona et d'une partie du Mexique et du Texas, le *pueblo* est une construction typique de la culture anasazi (celle des Indiens vanniers et des Indiens « à village ») : habitation communale faite de maisons contiguës à toit plat, en adobe (brique d'argile et de paille séchée au soleil, matériau analogue à notre torchis) ou en pierre, agglomérées par groupes, parfois de plusieurs niveaux et alors bâties en terrasses étagées, dont l'accès à l'origine se faisait par le toit – on descendait au niveau inférieur par des échelles qui pouvaient être retirées lorsqu'on devait se défendre. On dit « les Indiens Pueblos » (I. à village) pour les différencier des Indiens vivant sous la tente ou en troglodytes dans des cavernes. *(N.d.T.)*

sommet actinique était dépassé [1]. Le flamboiement furieux était-il épuisé – ou sa brillance simplement affaiblie par l'éclairage de l'énorme ville d'Albuquerque? Peu importe. L'arc de lumière fila en flèche au-delà du Pueblo Isleta et disparut quelque part au-dessus de la Mesa del Oro [2].

L'obscurité revint, envahissant de nouveau le ciel du Nouveau-Mexique comme le flot d'une marée qui remonte.

Sur la vaste place du Pueblo San Miguel, à 65 kilomètres de Santa Fe, Charley Estancia porta un instant ses doigts repliés à ses yeux, dissipa la douleur en l'écrasant avec ses jointures et leva la tête vers le grand bol noir renversé de la nuit pour lui sourire.

« Étoile filante! chuchota-t-il d'une voix aiguë. Étoile filante! Belle! Belle! » Il rit. Il avait onze ans, la peau sur les os, un visage barbouillé, et il avait vu souvent les queues échevelées des météores qui traversaient le ciel à toute vitesse. Il connaissait ce que c'était, lui, même si personne d'autre au pueblo ne le savait. Mais Charley n'en avait jamais vu un comme ça. Il sentait encore sa trajectoire brûler dans son crâne. Quand il clignait des paupières, la ligne de blancheur persistait.

D'autres gens du village l'avaient vu aussi. La place était bondée et animée ce soir car, dans une semaine, aurait lieu la danse de la Société du Feu – et des Blancs viendraient en nombre des villes pour y assister et prendre des photos et, peut-être, dépenser de l'argent. Charley Estancia entendit les respirations qui se bloquaient, vit les bras tendus de ses oncles, cousins et sœurs.

« *Maiyanyi!* marmotta quelqu'un. Des esprits! »

Des propos sur les démons, des chuchotements où il était question de mauvaise magie, des exclamations angoissées de doute et de peur s'entrecroisaient sur la place. Charley vit deux de ses oncles maternels se

1. L'actinisme est l'action chimique ou physiologique de certains rayons (ex. : ultra-violets). Le *sommet actinique* est le point d'activité maximale de l'action chimique d'une radiation. *(N.d.T.)*

2. *Mesa* : terme espagnol signifiant « table » et utilisé en géologie pour désigner un plateau en forme de table, aux pentes d'accès abruptes. *(N.d.T.)*

précipiter vers la haute kiva ronde et sans fenêtres, la maison des cérémonies [1], et descendre vivement l'échelle pour se réfugier à l'intérieur. Il vit sa sœur Rosita extraire le crucifix qui était suspendu entre ses seins et le presser contre sa joue comme une sorte d'amulette. Il vit le frère de son père, Juan, faire le signe de la croix et trois autres hommes s'engouffrer dans la kiva. Ils parlaient tous de mauvais esprits, à présent. Le pueblo était hérissé d'antennes de télévision, des automobiles brillantes stationnaient près des maisons d'adobe, mais cela suffisait d'une étoile filante pour rendre tout le monde fou de terreur superstitieuse. Charley donna un coup de pied au sol poussiéreux. Sa sœur Lupe passa comme un éclair à côté de lui, l'air terrifiée. Il allongea le bras et l'attrapa par son poignet frêle.

« Où vas-tu?

– A la maison. Les démons sont dans le ciel!

– Bien sûr. Les *kachinas* arrivent [2]. Ils vont exécuter la danse de la Société du Feu parce que nous ne la dansons plus correctement », dit Charley. Il rit.

Lupe n'était pas d'humeur à apprécier le genre de sarcasme que lui servait Charley. Elle se tortilla pour se dégager de sa poigne. « Lâche-moi! Lâche-moi! » Elle avait douze ans et n'était qu'une fille, mais elle avait beaucoup plus de force que lui. Elle planta sa main au centre de la poitrine creuse de Charley et poussa avec vigueur, arrachant en même temps d'une secousse son bras à sa prise. Charley partit à la renverse et se retrouva

1. Construction typique chez les Indiens « à village », la *kiva* est généralement ronde et au moins partiellement souterraine, son accès et son éclairage se faisant par le toit.

Elle comporte un foyer, un espace pour placer un autel et un *sipapou*.

(Du dialecte hopi *li-paapu*), le sipapou est un trou dans le sol de la kiva qui symbolise l'endroit par où les ancêtres mythiques de la tribu sont sortis des régions souterraines pour faire leur entrée sur terre aux premiers temps du monde. *(N.d.T.)*

2. Les *kachinas* sont les esprits des ancêtres déifiés qui, selon la croyance des Hopis d'Arizona et des Indiens Pueblos du Nouveau-Mexique, visitent de temps à autre les pueblos (par exemple : pour leur apporter la pluie).

Aux danses traditionnelles, les Indiens revêtent des costumes et masques très élaborés représentant les *kachinas*. *(N.d.T.)*

étendu sur le dos dans la poussière, les yeux tournés vers le ciel qui était maintenant redevenu normal. Lupe s'enfuit, en sanglotant. Charley secoua la tête. Fous, tous tant qu'ils étaient. Fous de peur, fous de religion. Pourquoi ne pouvaient-ils pas réfléchir? Pourquoi fallait-il qu'ils soient indiens tout le temps? Regardez-les, qui couraient dans tous les sens comme des dératés, qui éparpillaient de la farine de maïs, débitaient des prières dont les paroles n'étaient pour eux que du bruit sans signification, se précipitaient dans la kiva, galopaient vers l'église!

« Une étoile filante! cria Charley. Pas de quoi avoir peur! Rien qu'une grosse étoile filante! »

Comme d'habitude, personne ne lui prêta attention. Il passait pour un peu dérangé du cerveau, un petit gars maigrichon plein de rêves et d'idées d'homme blanc. Sa voix se perdit dans le vent de la nuit. Il se releva en frissonnant et fit tomber de son jean la poussière de la plaza. Ce serait comique, cette panique superstitieuse, si ce n'était pas tellement triste.

Ah! Voilà le padre à présent! Charley sourit.

Le prêtre sortait de la petite église blanchie à la chaux et levait en l'air les deux bras dans ce que Charley supposa être un geste qui voulait être réconfortant. Il cria en espagnol : « N'ayez pas peur! Tout va bien! Entrez dans l'église, tous, et restez calmes! »

Quelques-unes des femmes s'avancèrent vers l'église.

La plupart des hommes se trouvaient maintenant dans la kiva – où, naturellement, les femmes n'avaient pas le droit d'aller. Charley observa le prêtre. Le padre Herrera était un petit homme chauve venu d'El Paso quelques années plus tôt, après la mort du vieux curé. Il n'avait pas la vie facile ici. Tout un chacun à San Miguel était catholique romain, mais tout un chacun croyait aussi à la vieille religion du pueblo et, au fond, personne ne croyait guère à aucune des deux. Aussi, dans les moments de tension comme à présent, les gens s'égaillaient-ils dans toutes les directions, un nombre très restreint d'entre eux vers l'église du padre Herrera – et le padre n'avait pas l'air content.

Charley rejoignit le prêtre. « Qu'est-ce que c'était, Padre? Une étoile filante, pas plus? »

Le prêtre eut une moue irritée. « Peut-être un signe du ciel, Charley.

– Je l'ai vue de ces yeux! Une étoile filante! »

Le padre Herrera lui décocha un bref sourire vide et se détourna, s'affairant à rassembler son troupeau inquiet pour le faire entrer dans la maison de Dieu. Charley se rendit compte qu'il avait été congédié. Le prêtre avait dit un jour à Rosita Estancia que son frère cadet Charley était une âme damnée, ce que Charley avait découvert. Jusqu'à un certain point, il en était plutôt flatté.

Charley regarda le ciel avec espoir. Mais il n'y avait plus d'étoiles filantes. Maintenant la place était vide; les douzaines d'Indiens qui s'y étaient trouvés quelques minutes plus tôt s'étaient mis à l'abri. Charley regarda de l'autre côté du chemin, vers la boutique de souvenirs. La porte s'ouvrit et Marty Moquino sortit. Il avait à la main une petite boîte d'alcool à siphon – et une cigarette pendait au coin de sa bouche.

« Où sont-ils tous? demanda Marty Moquino.

– Ils ont pris la fuite. Affolés. » Charley se força à émettre un gloussement de rire. « Tu aurais dû les voir détaler! »

Il éprouvait à l'égard de Marty Moquino un peu de crainte et beaucoup de mépris; parallèlement, toutefois, Charley avait pour lui la considération que l'on porte à quelqu'un qui a fait des choses et vu du pays. Marty avait dix-neuf ans. Deux ans auparavant, il avait quitté le pueblo pour habiter Albuquerque et il passait également pour être allé aussi loin que Los Angeles. C'était un moqueur, un semeur de zizanie mais plus que n'importe qui dans le coin il avait vécu dans le monde de l'homme blanc. Maintenant, Marty était revenu parce qu'il avait perdu son emploi. Les gens chuchotaient qu'il faisait l'amour avec Rosita Estancia ces temps-ci. Charley le détestait à cause de cela; pourtant, il sentait qu'il avait pas mal à apprendre de Marty Moquino. Charley espérait s'évader lui aussi de San Miguel, un jour.

Ils se tenaient tous les deux au centre de la plaza déserte, Charley petit et mince, Marty grand et mince. Marty lui offrit une cigarette. Charley la prit et déclencha adroitement d'une pichenette son amorce d'allumage. Ils se sourirent comme des frères.

« Tu l'as vue? demanda Charley. L'étoile filante? »

Marty hocha la tête. Il fit gicler dans sa bouche une lampée de whisky de son siphon. « J'étais dehors derrière, dit-il au bout d'un instant. Je l'ai vue. Mais ce n'était pas une étoile filante.

– C'étaient les *kachinas* venus en visite, hein? »

Marty rit et dit : « Gamin, tu ne sais donc pas ce que c'était, ce machin-là? On n'a jamais vu d'étoile filante comme ça. C'est une soucoupe volante qui a explosé au-dessus de Taos! »

Kathryn Mason ne vit la lumière dans le ciel que par hasard. D'ordinaire, elle restait à l'intérieur dès la tombée du jour pendant ces sombres nuits d'hiver. La maison était chaude et claire, ronronnant de tous ses engins électriques, et Kathryn se sentait bien dedans. N'importe quoi pouvait rôder dehors. N'importe quoi. Mais le chaton de sa fille avait disparu depuis trois jours maintenant, ce qui était le plus grand drame qui se soit produit depuis longtemps dans la famille Mason. Kathryn avait cru entendre miauler faiblement à l'extérieur. Trouver le chat était plus important pour elle que de rester enfermée dans l'abri douillet que représente une maison automatisée.

Elle s'était précipitée au-dehors, espérant contre tout espoir voir la bestiole blanche et noire faire ses griffes sur le paillasson. Mais il n'y avait pas de petit chat; et, tout d'un coup, un éclair lumineux traversa le ciel.

Elle n'avait aucun moyen de savoir qu'il avait déjà commencé à perdre de son intensité. C'était la chose la plus brillante qu'elle avait jamais vue dans le ciel, si brillante qu'instinctivement elle se plaqua les mains sur les yeux. Un instant après, toutefois, elle écarta ses mains et se força à regarder l'éclair achever sa trajectoire de feu.

Qu'est-ce que cela pouvait être?

L'esprit de Kathryn fournit immédiatement une réponse : la trace d'un jet de l'Armée de l'Air qui explosait, un des jeunes de la base Kirtland à Albuquerque qui trouvait la mort au cours d'un vol d'entraînement. Sûrement. Sûrement. Et ce soir il y aurait quelque part une veuve de plus, une nouvelle série de gens endeuillés. Kathryn frissonna. A sa surprise, les larmes ne lui montèrent pas aux yeux, cette fois-ci.

Elle suivit la trace lumineuse. Elle la regarda s'incurver au sud, vers le centre d'Albuquerque, puis disparaître, perdue dans le halo de clarté qui s'élevait de la ville. Aussitôt, Kathryn imagina une nouvelle catastrophe car, dans son univers à elle, les catastrophes étaient toujours imminentes. Elle vit le jet en flammes s'écraser à la vitesse de mach trois dans l'avenue Centrale, labourant une douzaine de rues, fauchant un millier de vies, provoquant la rupture des conduites de gaz qui explosaient avec la furie d'un volcan. Des sirènes hurlaient, des femmes criaient, des ambulances, des corbillards...

Maîtrisant une panique qu'elle savait ridicule, elle tenta plus calmement d'évaluer ce qu'elle venait de voir. La clarté avait disparu à présent et le monde avait repris son aspect normal, aussi normal que c'était possible en ces jours de son veuvage subit et glaçant. Il lui sembla percevoir un boum assourdi dans le lointain, comme celui d'un écrasement. Mais toute l'expérience qu'elle avait acquise dans les alentours d'une base aérienne lui disait que cette trace de lumière géante dans le ciel ne pouvait pas être celle d'un jet qui explosait, à moins qu'il ne se soit agi de modèles expérimentaux dont les caractéristiques étaient encore secrètes. Elle avait vu des jets exploser au moins deux fois et ils produisaient un jaillissement de lumière éclatante, mais rien de semblable à cela.

Quoi, alors? Une fusée intercontinentale, peut-être, emportant cinq cents passagers vers une mort par le feu?

Elle entendit la voix de son mari recommander : « Réfléchis à fond, Kate. Réfléchis à fond. » Il l'avait répété bien souvent, avant d'être tué. Kathryn essaya de réfléchir sérieusement. L'éclat lumineux était venu du nord, de Santa Fe ou de Taos, allant au Sud. Les fusées intercontinentales suivaient un trajet est-ouest. A moins que l'une d'elles n'ait énormément dévié de son cours, l'hypothèse de Kathryn était erronée. Et les fusées n'étaient pas censées s'écarter de leur cap. Les systèmes de guidage étaient infaillibles. Réfléchis, Kathryn, réfléchis à fond. Un missile chinois, peut-être? La guerre qui commençait enfin? Mais alors elle aurait vu la nuit se changer en jour. Elle aurait senti la terrible explosion quand la bombe à fusion éventrait le Nouveau-Mexique. Réfléchis... Une espèce de météore, peut-être? Pourquoi pas une soucoupe volante, venue atterrir à Kirtland? Les gens parlaient tellement de soucoupes volantes, en ce moment. Des créatures de l'espace, disait-on, qui nous observent, qui font de l'espionnage. Des hommes verts avec des tentacules visqueux pareils à des cordages et des yeux protubérants? Kathryn secoua la tête. On en parlera peut-être à la vidéo, pensa-t-elle.

Le ciel semblait maintenant serein, comme si rien ne s'était passé.

Elle resserra son peignoir autour d'elle. Le soir ici à la limite du désert, le vent cinglait comme s'il arrivait droit du pôle. Kathryn habitait la maison qui se trouvait le plus au nord dans sa section; quand elle regardait dehors, elle ne voyait devant elle que la sèche étendue de sable et d'armoises. A l'époque où elle et Ted avaient acheté la maison, deux ans plus tôt, l'agent immobilier leur avait déclaré solennellement que d'autres maisons seraient bientôt construites au nord de la leur. Cela ne s'était pas réalisé. A cause de problèmes financiers, le manque d'argent, quelque chose de ce genre, et Kathryn vivait encore à la frontière entre quelque part et nulle part.

Au sud d'où elle était se trouvait la ville de Bernalillo, un faubourg d'Albuquerque, et la civilisation se propageait dans un rayon de plus en plus grand le long de la nationale 25 entre Albuquerque et ici. Mais vers le nord, il n'y avait rien, que la rase campagne peuplée de coyotes et Dieu sait quoi d'autre. Les coyotes avaient probablement dévoré le petit chat de sa fille. Se rappelant le chaton, Kathryn ferma les poings et tendit de nouveau l'oreille pour repérer les faibles sons qui l'avaient amenée à sortir.

Rien. Elle n'entendit que le sifflement du vent, ou peut-être les cris moqueurs des coyotes. Elle regarda avec méfiance le ciel; puis, d'un mouvement vif, elle tourna les talons et rentra, ferma la porte, la scella, plaça son pouce sur la manette d'alarme et attendit que le bureau central lui donne le signal. C'était bon d'être à l'intérieur, dans cette maison douillette et bien éclairée. Elle s'y était beaucoup plu au début, quand Ted vivait. Maintenant, le mieux qu'elle pouvait faire, c'était serrer les dents, fermer les portes à la mort et attendre que la torpeur du veuvage se dissipe. Elle n'avait que trente ans. Trop jeune pour demeurer engourdie éternellement.

Une voix ensommeillée : « Maman, où es-tu?

– Ici, Jilly. Ici.

– As-tu trouvé le Chaton-Minet?

– Non, ma chérie.

– Pourquoi es-tu sortie?

– Juste pour voir.

– Maman, est-ce que le Chaton-Minet est allé chercher papa? »

Ces paroles lui fendirent le cœur. Kathryn entra dans la chambre de sa fille. La petite était couchée confortablement et bien couverte dans son lit, avec l'œil d'or du monitor fixé solennellement sur elle. A trois ans pas tout à fait révolus, Jill était assez grande pour passer par-dessus le bord de son lit mais pas suffisamment pour retomber sur ses deux pieds sans aide, si bien que Kathryn laissait en marche le baby-monitor, le gardien électronique attentif. En principe on cessait de s'en servir après le second anniversaire de l'enfant, mais Kathryn ne se décidait pas à renoncer à cette sécurité supplémentaire.

Kathryn alluma la veilleuse. Jill cligna des paupières. Elle avait les cheveux noirs de son père, les traits délicats de son père. Un jour, elle serait belle, pas du tout un laideron comme sa mère, ce pourquoi Kathryn était reconnaissante. Mais à quoi bon, si Ted n'avait pas vécu pour le voir? Perdu au cours d'une mission au-dessus de la Syrie pendant l'Offensive de Paix de 1981. Qu'est-ce que la Syrie signifiait pour lui? Pourquoi une terre étrangère avait-elle arraché à Kathryn la seule chose qui comptait pour elle?

Correction : *presque* la seule.

« Est-ce que le Chaton-Minet trouvera papa et le ramènera ? demanda Jill.

– Je l'espère, ma mignonne. Dors et rêve du Chaton-Minet. Et de papa. »

Kathryn régla la console de contrôle du monitor, provoquant une douce vibration dans le matelas de la fillette. Jill sourit. Ses yeux se fermèrent. Kathryn baissa graduellement la lumière du bout du doigt, puis l'éteignit. En revenant dans la salle de séjour, elle décida de voir si on parlait de ce machin dans le ciel au bulletin de huit heures. « Des soucoupes volantes ont atterri... », une annonce de ce style. Elle posa sa paume creusée en coupe par-dessus le bouton mural, et l'écran vidéo s'anima d'une vie trépidante. Kathryn arrivait juste à temps.

« ... signalé depuis Taos et aussi loin au sud qu'Albuquerque. Également observé à Los Alamos, Grants et le Pueblo Jemez. Le météore était l'un des plus brillants encore jamais vus, d'après le Dr J.F. Kelly, des services techniques de Los Alamos [1]. Une équipe scientifique commencera demain à rechercher les débris de la grosse boule de feu. Pour ceux qui ont manqué le bulletin, nous allons le rediffuser dans quatre-vingt-dix secondes. Et nous le répétons, il n'y a aucune raison de s'alarmer, absolument aucune raison de s'alarmer à cause de ce météore exceptionnel. »

Dieu merci, songea Kathryn. Un météore. Une étoile filante. Pas un jet qui a explosé, pas une fusée qui s'est écrasée. Pas de nouvelles veuves ce soir. Elle ne tenait pas à ce que d'autres passent par où elle avait passé.

Si seulement le petit chat revenait maintenant. Elle ne pouvait pas espérer que Ted franchisse le seuil de la porte, mais il y avait des chances que le chat soit encore en vie, peut-être en sécurité quelque part, à l'abri dans un garage d'une des autres maisons du quartier. Kathryn éteignit la vidéo. Elle écouta s'il y avait des miaulements. Tout était silencieux au-dehors.

1. *Los Alamos* : ville célèbre pour ses laboratoires de physique nucléaire et ses usines d'engins atomiques. *(N.d.T.)*

***

Le colonel Tom Falkner ne vit pas la boule de feu. Pendant qu'elle sillonnait le ciel, il se trouvait dans le foyer des officiers à la base aérienne, en train de boire trop de scotch japonais bon marché et de suivre distraitement à la télévision un match de basket-ball entre New York et San Diego. Il entendit, au-dessus du ronronnement de la voix du présentateur, deux lieutenants qui parlaient de soucoupes sur un ton assourdi. L'un d'eux affirmait avec une conviction tout à fait passionnée qu'elles étaient réelles, que c'étaient des engins de l'espace. L'autre affichait le point de vue orthodoxe du sceptique : montrez-moi un homme d'un autre monde, montrez-moi un élément du train d'atterrissage d'une soucoupe, montrez-moi n'importe quoi que je peux toucher et je le croirai. Pas avant. Ils étaient tous les deux un peu imbibés, Falkner le savait, sans quoi ils n'auraient sûrement pas abordé le sujet des soucoupes. Pas avec lui dans la salle. En tout état de cause, ils croyaient garder leur conversation pour eux, épargnant au colonel Falkner la gêne d'avoir à entendre de nouveau ces mots ridicules : « soucoupe volante ». Tout le monde à la base faisait preuve de beaucoup de tact envers le pauvre colonel Falkner. Tout le monde savait que le destin lui avait joué un mauvais tour – et l'on essayait de lui adoucir la vie autant que possible.

Il s'extirpa de son fauteuil vibrateur et marcha d'un pas raide jusqu'au bar. L'aimable sous-officier qui était de service lui adressa un beau sourire.

« Monsieur?

– Un autre scotch. Faites-le double. »

Y avait-il comme une lueur de reproche dans les yeux du barman? Un éclair de mépris pour le colonel soûl? Les barmen n'étaient pas censés juger leurs clients, même si ce barman-là était un garçon sain et solide de l'Oklahoma qui ne boirait pas une goutte d'alcool sauf si un officier lui en donnait l'ordre formel. Falkner fit la grimace. Il se dit qu'il était trop sensible, qu'il déchiffrait bien trop de choses ces derniers temps dans l'expression, les paroles et même les silences de tout le monde. Il était un vrai paquet de terminaisons nerveuses à vif, voilà le drame. Et il buvait cette abomination d'ersatz-san de pseudo-Glenlivet pour alléger ses tensions, seulement ça ne réussissait qu'à lui rajouter un nouveau poids de culpabilité et de souffrance.

Le jeune homme poussa un verre dans sa direction. Les boîtes siphon n'avaient pas la cote ici au foyer des officiers. Aussi longtemps qu'il y aurait du personnel pour servir à boire, les officiers qui étaient des gentlemen aimaient que leurs boissons alcoolisées soient convenablement versées dans des verres, pas injectées comme un remède, selon l'usage de 1982. Falkner grogna un remerciement et glissa une main aux phalanges velues autour du verre. Cul sec. *Pfou.* Il tiqua.

« Excusez ma curiosité, monsieur, mais qu'est-ce que ça vaut, ce truc japonais?

– Vous n'en avez jamais bu?

– Oh, non, monsieur. » Le barman regardait Falkner comme si le colonel venait de suggérer une forme particulièrement ignoble d'onanisme. « Jamais. Je ne bois pas du tout. Je suppose que c'est à cause de cela que l'ordinateur m'a désigné pour faire le service du bar ici. Hé. Hé.

– Hé », dit Falkner sèchement. Il considéra la bouteille de scotch, ou prétendu tel. « Ma foi, il se laisse boire. Il a du corps et presque le goût du vrai, pour le moins atroce. Et jusqu'à ce que nous puissions renouer les relations commerciales avec l'Écosse, je serai obligé de continuer à en boire. Cette satanée idiotie d'embargo. Le Président devrait avoir sa... » Falkner se reprit. Le jeune homme sourit timidement. Malgré lui, Falkner sourit aussi et retourna s'asseoir dans son fauteuil.

Il fixa son regard sur l'écran lumineux. Ce centre de San Diego, le grand type de 2,25 m, sauta haut pour plonger le ballon dans le filet. Attends un peu, espèce de grand dépendeur d'andouilles, lui dit silencieusement Falkner. La prochaine saison, il y aura un ou deux types de 2,50 m dans l'équipe adverse, je parie. Ils te rabattront le caquet.

Une bribe de conversation résonna jusqu'à lui : « Si des étrangers venus de l'espace nous surveillaient, comment expliques-tu qu'ils ne soient pas encore entrés en contact avec nous, hein?

– Peut-être qu'ils l'ont fait.

– Bien sûr et Frederic Storm est aussi le prophète du siècle. Ne me raconte pas que tu appartiens à un Culte du Contact!

– Je n'ai pas dit... »

Falkner garda la tête figée en direction de la télévision murale. Il ne voulait pas, ne pouvait pas se laisser aller à penser aux soucoupes volantes pendant son temps libre. Il ne pouvait même pas supporter leur nom. C'était une mauvaise plaisanterie, cette histoire de soucoupes, une farce dont il était le dindon.

Il avait quarante-trois ans, bien que parfois il eût l'impression d'en avoir cent quarante-trois. Il se rappelait, vaguement, l'époque où l'on avait commencé à parler de soucoupes volantes. C'était en 1947, juste après la Seconde Guerre mondiale. Falkner ne se souvenait pas de la guerre elle-même – il était né en 1939, le jour où la Pologne avait été envahie, et il était en onzième quand la guerre avait pris fin – mais il avait gardé un net souvenir de cette histoire de soucoupes parce qu'elle l'avait terrifié. Il l'avait lue dans une des revues chic et elle l'avait laissé glacé de terreur à l'idée qu'un homme de l'Orégon ou d'il ne se rappelait plus où voyait des appareils venus d'autres mondes. Le petit Tommy Falkner s'était intéressé depuis toujours aux planètes, à l'espace, lui-même un vrai fana de l'espace à une époque où ces choses-là étaient des mystères pour le grand public, mais penser à ces soucoupes de 1947 lui avait donné la chair de poule et une semaine de cauchemars.

Des histoires de soucoupes avaient circulé. Des cinglés étaient sortis de leur trou pour raconter leurs promenades dans l'espace. Tom Falkner cherchait lui aussi à se promener dans l'espace, mais pour de bon. Quand il était entré à l'École de l'Armée de l'Air en 1957, il avait complètement oublié l'engouement général pour les soucoupes, il avait jeté au panier ses revues de science-fiction. Il était décidé à participer au programme spatial américain, si jamais on le mettait sur pied. Il serait un spaceman [1].

1. Spaceman : littéralement *homme de l'espace.* *(N.d.T.)*

Falkner avala avec humeur une gorgée de son verre.

Quinze jours après qu'il était devenu cadet de l'Armée de l'Air [1], les Russes lançaient un spoutnik sur orbite. A la longue, un programme spatial américain s'était matérialisé, boiteux, retardataire, mais authentique. Bizarre comme le mot *spaceman* avait disparu du vocabulaire aussitôt que la science-fiction avait commencé à devenir la réalité. *Astronaute* voilà comment on les appelait. Le lieutenant Thomas Falkner s'engagea pour le programme des astronautes. Il était beaucoup trop jeune pour le Projet Mercury; il regarda avec envie les astronautes de Gemini monter et redescendre; mais il y avait place pour lui dans le Projet Apollo. Il était inscrit sur la liste de ceux qui feraient un tour sur la Lune en 1973. Avec de la chance, calcula-t-il, il pourrait peut-être même aller sur Mars avant d'avoir quarante ans.

A cette époque, l'espace était réel, l'espace était important [2]. Falkner passait ses journées à des simulations de vol, ses nuits à batailler avec les mathématiques. Les soucoupes volantes? Bon pour les fous. « Des bobards californiens », Falkner appelait ces histoires de soucoupes, même quand elles provenaient du Michigan ou du Dakota du Sud. En Californie, on croit à n'importe quoi, y compris à l'existence de cannibales pourpres venus des étoiles. Il travaillait à son métier. Et son métier était l'espace. En cours de route, il se maria – et ce ne fut pas une union ratée, à part qu'il n'y avait pas eu de progéniture.

1. En France, on les surnomme « poussins ». *(N.d.T.)*

2. Paraphrase d'un vers célèbre de l'Hymne à la vie *(A Psalm of Life)* du poète américain Henry Wadsworth Longfellow (1807-1882) : La Vie est réelle! La Vie est importante (...)/*Life is real! Life is earnest* (...).

La citation complète est : Ne me dites pas d'un ton lugubre/la vie n'est qu'un vain rêve!/Car morte est l'âme qui sommeille/les choses ne sont pas ce qu'elles semblent. La Vie est réelle! La Vie est importante!/Et la tombe n'est pas son but./Poussière tu es, poussière tu redeviendras n'a pas été dit de l'âme. *(Tell me not in mournful numbers/Life is but an empty dream!/For the soul is dead that slumbers,/And things are not what they seem. Life is real! Life is earnest!/And the grave is not its goal. Dust thou art, to dust returnest/was not spoken of the soul.) (N.d.T.)*

Il se rappela cette soirée de 1970 où lui et deux autres de l'équipe Apollo avaient un peu trop fait honneur à une bouteille de scotch, de l'authentique, un Ambassador de douze ans d'âge. Et Ned Reynolds ivre, oubliant de mesurer ses paroles, s'était tourné vers lui et avait déclaré : « Toi, tu ne décolleras pas de la Terre, Tom. Tu veux savoir pourquoi? C'est parce que tu n'as pas d'enfants. Mauvais pour les relations publiques, ça. Il faut que l'astronaute ait au moins deux gamins frais et roses qui l'attendent à la maison, sinon ça gâche le spectacle à la télé. »

Falkner avait été amusé, non sans un petit pincement au cœur. Ce n'est pas le genre de chose qu'un homme à jeun dit à un ami, ou le genre de chose qu'un homme à jeun accepte d'entendre d'un ami, mais il avait ri. « Toi, tu ne décolleras pas de la Terre, Tom. » *In vino veritas.* Six mois plus tard, lors d'un examen médical de routine, on avait découvert quelque chose de défectueux dans son oreille interne, quelque chose qui n'était pas en ordre dans ce qui gouverne l'équilibre du corps, et ce fut la fin de sa carrière dans le Projet Apollo. On l'élimina avec sérénité, expliquant avec le plus grand regret qu'on ne pouvait pas mettre en orbite un homme sujet au vertige même si jusqu'à présent il n'avait manifesté aucune tendance...

On lui avait trouvé un travail. Avec le Projet Livre Bleu, ce programme de quatre sous que l'Armée de l'Air avait établi pour rassurer le public en lui prouvant que les soucoupes volantes n'existaient finalement pas. Cela se passait il y a dix ans. Le Projet Livre Bleu avait grandi selon l'habitude de toute bureaucratie et était devenu maintenant le C.E.O.A., le Centre d'Études des Objets Atmosphériques. Et ce pauvre vieux Tom Falkner, l'astronaute évincé, était le correspondant du C.E.O.A. pour l'Arizona, le Nouveau-Mexique, l'Utah et le Colorado. Il était colonel dans la brigade des soucoupes volantes. S'il serrait les dents et se cramponnait assez longtemps, il serait le prochain général des soucoupes volantes que compterait l'Armée de l'Air.

Il finit de vider le verre qu'il tenait. Au même moment, il prit conscience que le match de basket-ball avait été interrompu, depuis une demi-minute, pour un bulletin d'informations locales. Quelque chose à propos d'un météore, d'un grand éclair lumineux... aucune raison de s'alarmer, absolument aucune raison de s'alarmer...

Falkner s'efforça de se concentrer. Du fond de son esprit monta une pensée désagréable. *Repérage d'une soucoupe.* Enfin. Les salopards à tête bleue de Bételgeuse sont là. Aucune raison de s'alarmer, mais ils viennent de dévorer Washington, D.C. [1]. Tout va très bien. Ce n'est qu'un météore.

Il entendit la sonnerie insistante du téléphone retentir derrière le bar.

Puis le barman vint le trouver et annonça : « C'est pour vous, colonel Falkner. Un appel de votre bureau. Quelqu'un a l'air dans tous ses états, monsieur! »

1. Washington, D.C. : capitale fédérale des États-Unis. On ajoute toujours « D.C. » (District of Columbia) pour différencier ce W. de l'État de Washington (capitale *Olympia*, villes principales *Seattle* et *Tacoma*). Washington, D.C., est à l'est, du côté de l'Atlantique, l'État de Washington à l'ouest, du côté du Pacifique, entre l'Orégon, l'Idaho et le Canada. *(N.d.T.)*

II

A bord de l'appareil dirnan, les ennuis avaient commencé à la verticale du pôle. C'était un vaisseau d'observation classique, du type de ceux qui patrouillaient au-dessus de la Terre depuis maintenant des dizaines d'années, et le risque de panne était si minime que personne dans son bon sens n'y pensait. Les vaisseaux fonctionnaient bien; voilà tout. Mais à bord de celui-ci une défaillance s'était produite.

La première indication de l'existence de problèmes se manifesta à quatre-vingt-dix mille pieds, quand la lampe témoin s'alluma. Aussitôt des signaux d'alarme palpitèrent sous la chair des trois membres d'équipage du vaisseau. Parmi les divers circuits utiles implantés dans leur corps, il y en avait un qui les avertissait instantanément quand des difficultés techniques survenaient. L'essence de leur mission voulait que les observateurs se tiennent à distance de ceux qu'ils surveillaient, et la dernière chose que souhaitait un Dirnan était un atterrissage forcé sur la planète.

L'équipage était en plein travail. Il se composait d'un groupe sexuel classique à trois facettes – dans le cas présent, deux représentants du sexe masculin, un du sexe féminin. Ils étaient ensemble depuis près d'un siècle selon la méthode dont les Terriens calculaient le temps et depuis les dix dernières années ils accomplissaient une mission d'observation au-dessus de la Terre. L'élément féminin, Glair, s'occupait du matériel d'enregistrement qui recueillait des renseignements sur la planète survolée.

Mirtin introduisait dans l'ordinateur et analysait ces renseignements. Vorneen les transmettait à leur monde d'origine. En plus, ils vaquaient à divers autres travaux qu'ils se partageaient sans façon : l'entretien du vaisseau, la préparation des repas, les contacts avec les autres observateurs, etc. Ils formaient une bonne équipe. Quand les signaux d'alarme se déclenchèrent, chacun leva instantanément les yeux de ce qu'il faisait, prêt à entreprendre l'action nécessaire pour assurer la sécurité du vaisseau.

Mirtin – le plus vieux, le plus calme, revêtu du corps d'un Terrien d'âge mûr, le déguisement qu'il avait choisi – fut le premier à atteindre la console d'analyse. Ses doigts s'activèrent. Il réunit les données et se tourna vers les autres.

« Le plasma est en pleine décompression. Nous allons exploser dans six minutes.

– Mais c'est impossible, protesta Glair. Nous... »

Vorneen eut un sourire indulgent. « Cela se produit, Glair. Donc c'est possible. » Il arborait le corps d'un homme plus jeune – et peut-être était-il trop fier de sa belle mine. Mais, évidemment, un Dirnan en mission d'observation doit adopter l'aspect extérieur d'un Terrien – et c'était pur et simple bon sens que de prendre la configuration représentant le mieux l'être intérieur. Si Vorneen avait eu envie de paraître un soupçon trop beau, si Glair s'était laissée aller dans la direction de la volupté, si Mirtin avait désiré être terne et effacé, toutes ces options étaient admissibles.

Glair avait surmonté sa brève réaction ridicule, elle était toute au problème de l'heure. « Admettons que nous dérivions le courant du circuit opacifiant, cela pourrait maintenir le plasma en forme, d'accord?

– Essaie toujours », dit Vorneen. Mais les mains de Glair s'affairaient déjà.

Mirtin rit. « Nous sommes visibles à présent. Cela donne une impression de nudité, pas vrai? Comme de se trouver à midi sur la place du marché, déshabillé jusqu'à l'os.

– Nous ne pourrons pas rester visibles longtemps, objecta Vorneen. Nous allons nous heurter à tous les réseaux de détection que possèdent les Terriens. Les missiles vont voler.

– J'en doute, dit Glair d'un ton catégorique. Ils ont déjà vu nos vaisseaux et ne les ont pas attaqués. Fais-leur crédit. Ils sont au courant de notre présence ici en haut. Du moins, les gouvernements le savent. Cinq minutes sans notre opacifiant n'auront pas des conséquences aussi graves. »

Vorneen savait qu'elle avait raison. L'important pour le moment était d'éviter l'explosion, non de s'inquiéter du fait qu'ils étaient exposés à toutes les variétés terrestres de système de détection depuis l'écran de neutrons jusqu'à l'observation à l'œil nu. Il ouvrit l'écoutille avec un levier et s'inséra en se tortillant dans le compartiment moteur.

Le vaisseau dirnan était conçu pour voler indéfiniment sans avoir besoin de se ravitailler. Sa coque, une sphère aplatie, s'effilait par-dessous en forme de coupole où était monté un générateur à fusion : ni plus ni moins qu'un soleil miniature, d'où le vaisseau tirait toute l'énergie qui lui était nécessaire. Au cœur du système était un plasma [1] – un bouillon ardent d'électrons et de noyaux atomiques réduits à leurs constituants – maintenu en l'état par un puissant champ magnétique. Aucun solide ne pouvait contenir ce plasma sans devenir lui-même partie de ce plasma, car se trouve-t-il dans l'univers quelque chose qui soit capable de servir de bouteille à un gaz dont la chaleur se mesure en centaines de millions de degrés? Mais le champ magnétique provoquait un effet de compression qui retenait le plasma, l'isolait de tout ce qu'il risquait d'engloutir. Tant que le plasma ardent restait sous contrôle, les Dirnans pouvaient y puiser éternellement de l'énergie, ou pendant une durée suffisamment proche de l'éternité pour que cela ne fasse guère de différence aux yeux d'êtres vivants. Mais si l'effet de compression cessait, ces trois-là se retrouveraient en train de vivre à

1. En physique nucléaire, le *plasma* est une quatrième substance matérielle distincte des corps classiques (solides, liquides, gazeux) où les constituants des atomes (protons, neutrons et électrons) se mêlent en une structure inorganisée et chaotique bonne conductrice d'électricité et sensible à un champ magnétique. *(N.d.T.)*

moins de quatre mètres d'un soleil en plein éclat. Pas longtemps.

Pénétrant dans le passage de maintenance [1], Vorneen s'approcha du noyau d'énergie et découvrit à sa consternation que cinq des barres de régulation avaient déjà fondu et que de sinistres arcs bleuâtres papillotaient au-dessus du logement du générateur. Il n'avait pas particulièrement peur de mourir – et de toutes les façons de mourir celle-ci serait sûrement la plus rapide – mais le technicien qui était en lui le poussa à essayer si possible de renverser la situation. Tout ce qu'il pouvait faire, il s'en rendit compte, c'était tenter de prendre de l'énergie dans une autre portion du vaisseau pour colmater le champ magnétique de compression – et espérer que le système se stabiliserait grâce aux régulateurs homéostatiques qui étaient censés se mettre automatiquement en marche dans des cas pareils.

Déjà, le circuit opacifiant avait été coupé, rendant le vaisseau visible aux yeux des Terriens. C'était regrettable mais la chose s'était produite auparavant, trop souvent pour que Vorneen s'en tracasse maintenant. On parlerait à nouveau de « soucoupe volante » à la vidéo d'en bas ce soir, pensa-t-il. Mais si le générateur à fusion explosait et que, d'aventure, sa destruction entraîne celle d'une ou deux villes, ce serait un événement plus sensationnel qu'il ne se souciait d'en créer.

« Coupez les circuits de transmission, lança-t-il.

– Ils sont coupés, répliqua Mirtin. Depuis vingt secondes. Tu ne t'en es pas aperçu?

– Aucun effet.

– Je vais éteindre l'éclairage, dit Glair.

– Éteins tout, ça vaudra mieux, cria Vorneen. Je n'arrive à rien gagner. Je perds de la compression sans arrêt! »

Le vaisseau devint noir. Les pauvres Terriens seraient privés des feux clignotants verts et rouges qu'ils aimaient tant; en fait, ils seraient incapables de voir la soucoupe à

1. « Trou d'homme », « passage du chat », en américain : « espace où ramper » : désignation imagée d'un boyau d'environ 60 cm de haut permettant l'accès pour réparation aux tuyauteries, conduits électriques, etc. *(N.d.T.)*

présent, sauf sur les appareils de détection officiels. Avec amertume, Vorneen se rendit compte qu'il écrivait un nouveau chapitre dans les énormes archives de documentation secrète sur les vaisseaux observateurs que les gouvernements d'en bas étaient connus pour posséder. Il enrageait à l'idée qu'il avait rejoint la légion de gaffeurs qui vendaient la mèche. Mais ce n'était pratiquement pas sa faute. Ce qui se passait en ce moment était un pur et simple phénomène statistique : étant donné le nombre de vaisseaux d'observation sur orbite autour de la Terre, au moins un devait fatalement tomber en panne d'une façon spectaculaire. Et le hasard voulait que ce soit le leur.

A présent, bien sûr, un signal de détresse avait retenti à travers la galaxie. Dès qu'un équipage coupait ses circuits de transmission, rompant le contact avec son monde d'origine, un S.O.S. était enregistré automatiquement. A cause du retard d'année-lumière entre la Terre et Dirna, une vingtaine d'années au moins s'écouleraient avant que quelqu'un là-bas apprenne que ce vaisseau en particulier avait des problèmes mais ce même signal de détresse parviendrait à des centaines d'autres appareils dirnans plus proches. Ce qui était réconfortant dans une certaine mesure.

Vorneen retourna au cœur de l'appareil. « Inutile, il est sur le point d'exploser, dit-il. Nous devons abandonner le vaisseau. »

Glair parut bouleversée. « Mais... »

Mirtin était aux commandes. « Je vais prendre de l'altitude. Il faut que nous montions au-dessus de la portée dangereuse. Quarante-huit mille mètres, hein?

– Plus haut, dit Vorneen. Aussi haut que tu en as la possibilité. Et garde le cap. En principe, nous sommes au-dessus du désert, de toute façon.

– Pouvons-nous emporter quelque chose? demanda Glair.

– Nous-mêmes », répondit Vorneen.

Le vaisseau était leur demeure depuis de nombreuses années. Le quitter maintenant était pénible : plus douloureux pour elle, peut-être, que pour nous, songea Vorneen. C'était Glair qui soignait le petit jardin de fleurs dirnanes installé à bord par eux, Glair qui ajoutait toutes les petites touches féminines à la dureté du décor du vaisseau. Maintenant ils devaient laisser le jardin, le vaisseau et le reste à leur sort pour se jeter vers le sein noir de la Terre. Cette éventualité, tous les observateurs étaient obligés de vivre avec, mais jamais elle n'avait semblé tout à fait réelle à Vorneen, et il savait quel arrachement c'était sûrement pour Glair. Seul Mirtin éprouvait apparemment un détachement total à l'égard du désastre.

Ils s'élevèrent haut dans le ciel nocturne.

D'étranges grondements arrivaient maintenant du compartiment moteur. Vorneen essaya de ne pas penser à ce qui pouvait s'y passer ni à quel point ils étaient peut-être près du moment de l'explosion. Glair enfilait sa tenue de saut. Il saisit la sienne. Mirtin, qui avait bloqué les commandes en position, commençait à endosser son harnais.

« Nous allons être dispersés, déclara Vorneen. Nous atterrirons peut-être à des centaines de kilomètres les uns des autres. » Il vit l'expression d'effroi dans les yeux de Glair. Impitoyablement, il continua : « Il y a un risque que nous soyons blessés à l'atterrissage ou même tués. Mais il faut que nous sautions. Nous nous débrouillerons pour nous rejoindre. » Il tira avec vigueur sur le levier d'éjection et la trappe béa, la trappe qu'ils ne s'étaient jamais attendus à utiliser. L'atmosphère s'échappa de la cabine du vaisseau, mais l'équipement de saut les protégeait contre l'absence d'air. Ils s'approchèrent en hâte de la trappe.

« Saute », dit Vorneen à Glair.

Elle sauta. Glacé d'horreur, il la regarda s'éloigner du vaisseau en tournoyant, plonger dans le néant selon une trajectoire en forme d'arc avec une telle violence qu'il craignit qu'elle ne se soit évanouie. Elle n'avait pas été entraînée à sauter de façon aussi maladroite. Mais ils ne s'étaient pas exercés aux manœuvres de saut depuis bien longtemps à bord de ce vaisseau. Le cœur serré, il eut conscience que Glair avait probablement exécuté une chute mortelle et la perte d'un de ses partenaires lui causa le déchirement le plus atroce qu'il avait jamais éprouvé. Abandonner le vaisseau n'était rien, au fond; mais perdre Glair...

« Saute », dit Mirtin derrière lui.

Et Vorneen quitta alors le vaisseau. En dépit de son chagrin, il exécuta le saut à la perfection. C'était le moment où les cauchemars deviennent réalité; tous les observateurs rêvaient des centaines de fois qu'ils sautaient dans le vide mais, pour la plupart, cela demeurait un rêve. Et le voilà filant comme un bolide avec quarante-huit mille mètres de vide au-dessous de lui, Glair probablement déjà morte et une planète d'étrangers hostiles l'attendant à l'arrivée. Pourtant, avec un calme bizarre, il mit en marche son système de sauvetage et ressentit le choc soudain quand l'écran de déploiement stabilisa sa chute. Il vivrait.

Et Mirtin?

Regarder en l'air n'était pas facile. Vorneen essaya. Mais il se trouvait à présent à des milliers de mètres au-dessous du vaisseau et il n'aperçut ni le vaisseau lui-même ni la moindre trace de Mirtin. Avait-il sauté? Bien sûr que oui. Mirtin avait le culte de la rationalité; pas de panique de dernière minute pour lui, pas question de rester à bord du vaisseau condamné. Nul doute qu'à cet instant Mirtin plongeait en douceur vers la Terre. Vorneen se remit à regarder en bas.

Peu après, ce fut l'explosion.

Elle dépassa en terrifiant tout ce qu'il avait jamais imaginé. Si elle s'était produite la minute d'avant, quand il levait bêtement la tête, elle lui aurait brûlé les yeux. Déjà comme cela, il trembla d'une horreur sacrée tandis que les cieux au-dessus de lui s'illuminaient de la vive lueur d'un soleil subit. Il n'y a pas de radiation mortelle dans un générateur à fusion, évidemment; ni lui ni les villes lointaines au-dessous ne souffriraient. Et les molécules atmosphériques bien espacées ici dans les hauteurs n'avaient pas non plus transmis grand bruit. Il sentit sur son dos et ses épaules une brûlure mais, somme toute, ce n'avait été qu'un minuscule soleil, juste assez puissant pour fournir de l'énergie à un petit engin spatial, Vorneen n'était pas carbonisé et personne en bas ne remarquerait la moindre chaleur. L'effrayant, c'était la clarté, cet éclat insoutenable qui passait au-dessus de lui et sillonnait le ciel. On aurait dit que l'univers s'était fendu à cet endroit et laissait flamboyer la lumière originelle de la première création. Fermer les yeux ne lui servit pas à grand-chose. Quel effet faisait-elle en bas, sur la Terre? Il se le demanda. Les Terriens éprouveraient-ils de la terreur et de la crainte religieuse? Ou bien leur apparaîtrait-elle simplement comme la chevelure d'un puissant météore?

Elle s'éloignait, selon la trajectoire de ce qui avait été le vaisseau. Du moins n'y aurait-il pas de fragments de l'engin pour créer un mystère sur Terre : légère consolation. Mais cette lumière! Cette lumière monstrueuse!

Vorneen perdit conscience.

Quand il reprit le contrôle de lui-même, il fut affolé de découvrir une rangée de maisons pas bien loin au-dessous de ses pieds pendants. Sur Terre, si vite? Encore un millier de mètres et il toucherait enfin le sol de la planète qu'il observait depuis si longtemps. Plus bas... toujours plus bas...

A présent, Glair devait avoir atterri. Il s'efforça de ne pas penser à ce qui était advenu d'elle. C'est Mirtin qu'il devait retrouver, le plus vite serait le mieux, et ensemble ils attendraient l'équipe de secours qui ne tarderait pas à arriver pour les ramasser. Entre-temps, le problème était de survivre. Il maudit la malchance qui l'avait amené à descendre au beau milieu de la civilisation, alors qu'il y avait tout ce bon désert autour. Vorneen fit ce qu'il put pour s'écarter des maisons et se diriger vers le plateau uni et couvert de broussailles qui se trouvait juste à côté.

Maintenant, le sol se précipitait à sa rencontre. Il ne s'était jamais attendu à ce que l'atterrissage ressemble à cela. On ne flottait donc pas doucement jusqu'à la Terre? Non. Non. Il tombait comme un plomb. Il allait trouer le toit de la dernière maison dans cette rangée. Il allait...

Il réussit à dévier sa chute, mais seulement de quelques dizaines de centimètres.

Puis la douleur la plus atroce qu'il eut jamais ressentie, dans une vie qui n'avait pratiquement connu que très peu de souffrance, le parcourut, l'étourdit et, s'effondrant lourdement tête la première, l'homme venu des étoiles resta allongé sans bouger, plus mort que vif.

III

Au bureau du Centre d'Etudes des Objets Atmosphériques à Albuquerque, tout était prêt à démarrer une demi-heure après que la boule de feu avait été aperçue. L'équipe d'entretien avait monté des batteries chargées à plein dans les six half-tracks électriques; l'ordinateur avait déjà fourni une carte indiquant les sites d'atterrissage possibles pour les débris du vaisseau spatial, s'il y en avait; Bronstein, l'adjoint du colonel Falkner, avait convoqué les hommes qui n'étaient pas de service. Ils se tenaient maintenant en demi-cercle, l'air mal à l'aise, autour du tableau lumineux dans le bureau principal, les yeux fixés sur la ligne rouge striée qui représentait le tracé de la trajectoire décrite par l'objet atmosphérique. A moins de 5 mètres de là, derrière la porte close et verrouillée des toilettes, Tom Falkner faisait son possible pour se dégriser.

Pendant le trajet en jeep pour venir du foyer des officiers jusqu'ici, Falkner avait avalé un comprimé d'antistim. C'étaient des petits remèdes pratiques, garantis capables de rafraîchir en une demi-heure environ les idées d'un cerveau embrumé par l'alcool. Mais la méthode n'était pas agréable. Ces pilules avaient pour effet de donner un double coup de fouet à la thyroïde et à l'hypophyse, bousculant temporairement l'équilibre hormonal et embrayant le métabolisme à la vitesse maximale. Tous les processus corporels étaient accélérés, y compris celui qui consumait l'alcool contenu dans le sang. Sous antistims, vous viviez six ou sept heures dans une situation de temps réel qui durait environ dix minutes. C'était dur, mais cela donnait des résultats. Quand vous aviez décidé de passer une soirée tranquille à vous imbiber d'alcool et découvriez soudain qu'il était impératif de vous dégriser sur-le-champ, vous n'aviez pas d'autre choix que de prendre les comprimés.

Falkner s'accroupit sur le carrelage des toilettes, agrippé des deux mains au porte-serviettes. Il était secoué de tremblements. De grandes taches de sueur assombrissaient son uniforme. Son visage était cramoisi, son pouls qui battait à plus de cent pulsations s'accélérait encore et le terrible tonnerre de son cœur résonnait comme un tambour dans sa cage thoracique. Il avait déjà vomi, ce qui l'avait débarrassé des deux ou trois derniers verres de scotch avant que l'alcool ait eu une chance de pénétrer très avant dans son système et cette violente purge intérieure se chargeait du reste. Son cerveau s'éclaircissait. C'était seulement la quatrième ou cinquième fois dans sa vie qu'il avait trouvé nécessaire de recourir aux antistims – et chaque fois il espérait que ce serait la dernière.

Après un long moment, il se redressa.

Ses doigts, tendus devant lui à titre d'expérience, trépidaient comme s'il dactylographiait une lettre. Il s'efforça de les raffermir. A présent, le sang s'était retiré de son visage. Falkner s'observa dans la glace et ce qu'il vit le fit frissonner. C'était un homme grand, aux épaules larges, aux cheveux noirs frisés coupés court, avec une petite moustache raide et des yeux injectés de sang. Lorsqu'il était astronaute, il prenait soin de ne pas laisser son poids dépasser de beaucoup les 75 kilos, mais cette époque-là était révolue depuis longtemps et il s'était empâté au maximum de sa stature et même au-delà. En uniforme, il avait l'air massif et solidement bâti. Dépouillé de cet exosquelette kaki, il avait tendance à bedonner et s'affaisser un peu. Il n'était pas fier de ce qu'il était devenu dans sa maturité. Mais ce n'était pas sa faute s'il avait écopé de ça, le problème de l'oreille interne et le détachement au service des soucoupes volantes.

Il se sentait un peu mieux maintenant. Il se tamponna la figure à l'eau froide, essuya la sueur, rajusta son col.

Bien que pas totalement dégrisé même à présent, il n'éprouvait plus les pires effets de sa cuite. Cette sensation de picotement au bout du nez avait disparu; ses oreilles ne donnaient plus l'impression d'être des morceaux de carton; ses yeux fonctionnaient comme les yeux sont censés fonctionner. Se déplaçant avec précaution, Falkner ouvrit la porte des toilettes et se rendit dans le bureau.

Le capitaine Bronstein paraissait avoir la situation bien en main, comme d'habitude. Il était là en train de donner les instructions aux hommes, d'une voix nette, sans avaler la moindre syllabe. Quand il aperçut Falkner, Bronstein se retourna avec aisance et dit : « Nous sommes prêts à partir quand vous en donnerez l'ordre, mon colonel.

– Tout est calculé? Les itinéraires attribués?

– Tout », répliqua Bronstein. Il eut un sourire bref, peut-être bien moqueur. « Le tableau flamboie comme un arbre de Noël. Nous avons reçu jusqu'à présent un millier de rapports concernant l'O.A. et d'autres continuent à arriver. C'est un vrai, cette fois-ci.

– Splendide, marmotta Falkner. Nous allons être célèbres. Un vaisseau extraterrestre s'écrase au sol; le pilote s'éjecte; de courageux officiers du C.E.O.A. le maîtrisent à mains nues. Nous... »

Falkner s'interrompit net. Il avait recommencé à laisser marcher sa langue, signe qu'il n'était finalement peut-être pas aussi bien dégrisé que ça. Le coup d'œil avertisseur de Bronstein était explicite. Pendant quelques secondes, leurs regards se croisèrent et Falkner enragea de voir la compassion qu'éprouvait Bronstein à son égard. Une houle de haine pure parcourut le corps du colonel.

A des moments comme celui-là, Falkner se disait avec entêtement qu'il ne détestait pas Bronstein simplement parce que Bronstein était juif. Ce fait d'être juif n'avait rien à voir là-dedans. Il détestait Bronstein parce que le fringant petit capitaine était ambitieux, parce qu'il était capable, parce qu'il était toujours maître de soi et parce qu'il était convaincu que les soucoupes volantes venaient d'un autre monde. Bronstein était le seul officier que connaissait Falkner à s'être porté volontaire pour entrer au C.E.O.A. Ce service était considéré comme le dépotoir d'officiers de carrière qui ne présentaient plus d'utilité pour autre chose, mais Bronstein avait fait des pieds et des mains pour obtenir d'y venir. Pourquoi? Parce qu'il avait la conviction que les soucoupes étaient l'avenir, la plus grande affaire dont l'Armée de l'Air ait eu à s'occuper. Sincèrement. Et il voulait être là, pour se saturer de gloire et faire les gros titres des journaux, quand la fiction deviendrait une éclatante réalité. Pour Bronstein, la patrouille des soucoupes était la porte ouvrant sur de plus amples perspectives.

Le sénateur Bronstein. Le président Bronstein.

L'humeur de Falkner vira encore plus à l'aigre. Il dit d'un ton sec : « D'accord, en route. Filons dans le désert découvrir cette météorite avant l'aube! *Schnell!* [1] »

Les hommes se précipitèrent hors de la pièce. Bronstein s'attarda. « Tom, je crois que cette fois-ci nous la tenons. L'occasion que nous attendions, l'engin en détresse et l'équipage obligé de s'éjecter.

– Allez au diable.

– Dites donc, quelle surprise, hein, quand vous trouverez un ambassadeur interstellaire assis dans les armoises?

– C'était un météore, répliqua Falkner d'un ton glacial.

– L'avez-vous vu?

– Non. Je... j'étudiais des rapports.

– Moi oui, reprit Bronstein. Cela n'avait rien d'un météore. J'ai fichtrement bien failli être aveuglé. Ce machin-là était un genre de générateur à fusion qui explosait au-dessus de la stratosphère. Cela donnait l'impression d'un petit soleil qui a brillé pendant deux minutes, Tom. Les types de Los Alamos ont dit la même chose. Vous connaissez des programmes de l'Armée de l'Air où l'on utilise pour voler des générateurs à fusion?

– Non.

– Moi non plus. Alors...

– Alors il s'agit d'un vaisseau espion chinois », coupa Falkner.

1. *Vite*, en allemand. *(N.d.T.)*

Bronstein rit. « Savez-vous, Tom? Je crois infiniment plus probable que ce vaisseau venait de Procyon Douze, ou d'un endroit du même genre, d'un autre système solaire, plutôt que de Pékin. Traitez-moi de fou si vous voulez. Voilà ce que je pense. »

Falkner ne répondit pas. Il oscilla un instant sur la plante des pieds, essayant de se persuader qu'il vivait la réalité et non qu'il rêvait. Puis, l'air maussade, il fit signe à Bronstein et ils sortirent dans la nuit.

Quatre des half-tracks étaient déjà partis. Falkner monta dans un de ceux qui restaient, Bronstein dans l'autre, et ils s'éloignèrent de la base à grand fracas. La cabine de Falkner contenait une unité complète de communication qui le reliait aux autres véhicules d'exploration, au bureau d'Albuquerque, au quartier général central du C.E.O.A. dans la ville de Topeka et aux divers quartiers généraux locaux sous sa juridiction dans les quatre États du Sud-Ouest. Et le tableau de bord était justement en pleine activité. Une douzaine de lumières annonçant des messages clignotaient à la fois.

Falkner se brancha sur Topeka et regarda la figure de son chef, le général Weyerland, prendre forme et couleur sur le petit écran.

Weyerland, comme Falkner, était un débris cosmique, un laissé-pour-compte du programme spatial qu'on avait transféré à la voie de garage qu'était le C.E.O.A. Mais du moins Weyerland avait-il quatre étoiles sur l'épaule en guise de consolation. Compte tenu du fait qu'il était personnellement responsable de la mort de deux astronautes qui avaient péri au cours d'une expérience spatiale, Weyerland était un sacré veinard d'avoir réussi à décrocher un poste, même dans le C.E.O.A., songea Falkner. Mais il savait sauvegarder les apparences. Weyerland se comportait toujours comme si ça l'intéressait.

Le général demanda : « Qu'est-ce qui s'est passé jusqu'à présent, Tom?

– Rien de sensationnel, monsieur. Une trace lumineuse dans le ciel, une foule de citoyens affolés et maintenant une vérification classique. Je pars d'ici avec six half-tracks et nous en envoyons deux dans le nord depuis Santa Fe. Plus les balayages habituels par les détecteurs de métaux. La routine, comme chaque fois qu'on signale un objet volant.

– Je n'en suis pas si sûr, commenta Weyerland.

– Pardon?

– Washington a téléphoné à deux reprises. Je veux dire, le grand patron aussi. Il est dans tous ses états. Cette traînée de lumière a été vue à des milliers de kilomètres à la ronde, savez-vous? On l'a repérée en Californie et les gens de là-bas en perdent la tête.

– La *Californie.* » Falkner prononça ce mot d'une façon qui le rendait indiciblement répugnant.

« Oui, bien sûr. Mais le public est alarmé. Le public exerce une pression sur la Maison Blanche et la Maison Blanche exerce une pression sur nous.

– L'Un-o-sept a déjà été lancé, n'est-ce pas?

– Sur tous les canaux », dit Weyerland. La désignation « 107 » était le terme de code pour une déclaration rassurante que l'objet mystérieux était un simple phénomène naturel et que rien n'était à craindre. « Mais nous avons lancé tant d'Un-o-sept, Tom, que personne n'y croit plus. Nous disons " météore ", tout le monde traduit " soucoupe volante ". Le moment vient où il nous faudra commencer à dire la vérité. »

Quelle vérité? eut envie de demander Falkner. Il s'abstint.

Il répliqua : « Prévenez le Président que nous ferons un rapport dès que nous aurons quelque chose de positif.

– Entrez en communication avec moi toutes les heures, recommanda Weyerland. Que vous ayez ou non quelque chose de positif. »

Le général coupa le circuit. Aussitôt Falkner se mit à se brancher sur les autres. Par quatre d'entre eux, il obtenait les données provenant des réseaux de détection répartis sur le périmètre de défense nationale. Effectivement, ils avaient tous enregistré l'arrivée d'un objet massif passant à la verticale du pôle à une altitude de 90 000 pieds et prenant encore plus de hauteur au-dessus du Manitoba, puis se désintégrant complètement au-dessus du centre du Nouveau-Mexique. Eh bien, oui, quelque chose s'était trouvé là-haut ce soir. Mais il y avait à cela une explication rationnelle autant qu'une fantastique. Ce quelque chose était une lourde masse de fer qui avait dérivé dans notre atmosphère et s'était consumée. Pourquoi évoquer des vaisseaux spatiaux galactiques quand les météores étaient si fréquents?

Le half-track de Falkner progressait pesamment et régulièrement, à présent vers le nord-ouest en partant d'Albuquerque dans la direction générale de la forêt domaniale de Cibola. A sa gauche, le colonel pouvait voir dans le lointain les phares des voitures qui filaient à toute vitesse sur la nationale 40. Il approchait du Rio Puerco – un lit de rivière à sec maintenant, après un automne sans pluie. Les étoiles semblaient exceptionnellement nettes, comme dessinées au trait. C'était une nuit à neige, mais il savait que la neige ne tomberait pas ce soir. Morose, il continua à manipuler les touches de la console de commandes qui était devant lui, accomplissant machinalement toutes les opérations que comportait son travail.

Le public était inquiet. *Le public!* Qu'un hélicoptère ronronne au-dessus de leurs têtes et un million de gens se précipitent sur le téléphone pour signaler la soucoupe volante à la police. La petite représentation céleste de ce soir, songea Falkner avec humeur, avait probablement rapporté un pactole en revenus supplémentaires à la *Mountain States Tel and Tel* [1]. De l'encombrement sur les lignes la soirée entière. Toute cette histoire n'était qu'un truc de promotion agencé par la compagnie des téléphones. Sûrement.

Un des détails qui chiffonnaient Falkner à propos des soucoupes volantes était la montée de la courbe des rapports signalant leur apparition. Les observations de soucoupes semblaient fluctuer en même temps que la température des événements internationaux : les premières avaient été signalées juste après la Seconde Guerre mondiale, pendant les nouvelles tensions atomiques de la rivalité Russie-États-Unis, puis il y avait eu une accalmie temporaire pendant les années d'Eisenhower [2], suivie

1. *Mountain States Tel & Tel* : La Compagnie des Téléphones & Télécommunications des États Montagnards. *(N.d.T.)*

2. Dwight David Eisenhower (1890-1969) : général américain né au Texas, commandant en chef des armées alliées en Afrique du Nord puis

par leur retour en force vers 1960. Ensuite, après l'assassinat de Kennedy [1], on voyait partout des soucoupes et depuis 1966 environ la fréquence de leurs apparitions avait augmenté régulièrement, avec une tendance à se manifester surtout pendant les saisons où le différend avec la Chine approchait le plus de la rupture ouverte.

On ne peut pas établir de relation entre les pluies de météores et la politique mondiale. Toutefois, on peut attribuer – jusqu'à un certain point – les histoires de soucoupes à des angoisses personnelles. Peut-être 99 % des cas signalés, calcula Falkner, étaient inspirés par des nerfs à vif.

Mais les autres...

L'ennui, c'est que la qualité des observateurs était en pleine évolution. Au début, la plupart des histoires de soucoupes provenaient de ménagères travaillées par la ménopause et de campagnards goitreux aux joues plates, affublés de lunettes à monture d'acier, mais peu à peu un déplacement s'était opéré de la partie visiblement toquée de la population vers ceux dont la parole avait du poids. Quand des directeurs de banque, des agents de police, des députés et des professeurs de physique commencent tous à voir des formes rondes dans le ciel, la chose dépasse le stade de la loufoquerie, Falkner était obligé de le reconnaître. Et, notamment depuis 1975, le nombre d'apparitions et le nombre de gens respectables qui les avaient vues avaient augmenté de façon radicale. La fraction des excités, la fraction des *moi-je-suis-monté-dans-une-soucoupe-volante*, existait encore. Falkner la tenait pour zéro. Il ne pouvait pas ne pas prendre les autres en considération.

Toutefois, il était lié à son travail par un mobile profond et permanent, d'un caractère négatif. Il était incapable de s'autoriser à croire que les prétendues soucoupes étaient autre chose que des phénomènes natu-

en Europe pendant la Seconde Guerre mondiale, président de la République des États-Unis de 1953 à 1961 (réélu en 1956).

1. John Fitzgerald Kennedy, né près de Boston (Massachusetts) en 1917, président des États-Unis de 1961 à 1963, année où il a été assassiné à Dallas (Texas) le 22.11.1963. *(N.d.T.)*

rels. Si elles étaient vraiment des vaisseaux de l'espace, alors son affectation aux O.A. était effectivement importante – et l'amertume qui le poignait au cœur disparaissait. Tom Falkner avait besoin de ce pincement d'amertume comme stimulant. Aussi poussait-il des grognements hostiles à la moindre suggestion que son emploi puisse véritablement se rapporter à des événements réels – ou qu'il concerne en quoi que ce soit la sécurité de son pays.

Il déconnecta les banques de données et se brancha sur les informations en provenance des détecteurs de métaux.

Rien. Aucun objet inhabituel repéré sur le désert.

Il parla à Bronstein, qui se trouvait maintenant à 120 ou 130 kilomètres au sud de sa propre position, dans le voisinage du Pueblo Acoma.

« Des nouvelles? Des rapports?

– Rien ici, répliqua Bronstein. A part qu'on a vu la traînée dans le ciel à Acoma. Et aussi à Laguna. Le chef déclare qu'une bonne partie de sa tribu est terrifiée.

– Dites-leur qu'il n'y a pas de quoi s'affoler.

– Je l'ai dit. Sans résultat. Ils sont paniqués, Tom.

– Alors dites-leur de danser une danse panique.

– Tom...

– Okay, excusez-moi. *Monsieur.* » Falkner accentua lourdement le sarcasme. Il bâilla et reprit : « A la Maison Blanche, le grand patron panique aussi, vous savez? Le pauvre Weyerland se fait asticoter depuis une heure. Il veut des résultats, sinon ça va barder.

– Je suis au courant. Il m'a appelé. »

Falkner fronça les sourcils. L'idée que son supérieur conférait avec son adjoint ne lui plaisait pas. Il y a une voie hiérarchique pour la transmission des ordres en pareilles circonstances. Il coupa la communication et passa sur un autre canal. Le half-track progressait en cliquetant vers l'ouest. Sur son toit, des antennes sensibles tourbillonnaient, en quête de données, n'importe quoi d'utile. Qu'il y ait un reflet de métal sur le désert et Falkner connaîtrait son existence. Les détecteurs thermiques cherchaient à repérer la radiation infrarouge de tout corps vivant au-dessus de la taille d'un rat-kangourou [1]. Toutes les trente secondes, un rayon laser jaillissait, allait frapper une sphère focale à 130 kilomètres de là, puis revenait sans renseignements.

Inlassablement, Falkner appuyait sur des boutons, tournait des cadrans, branchait et débranchait des circuits. A chacune de ces expéditions de recherche infructueuses dans le désert après un signalement quelconque de passage de soucoupe, il prenait un plaisir amer à laisser ses mains parcourir la console complexe de commandes, utilisant au maximum ses petits systèmes électroniques alors même qu'il avait la ferme conviction qu'il ne trouverait jamais rien. Un mois ou deux auparavant, il s'était finalement avisé de ce qu'il faisait quand il manipulait son matériel de cette façon fiévreuse. Il jouait à l'astronaute.

Assis là le dos courbé dans son chaud half-track, il aurait aussi bien pu être dans une capsule spatiale en orbite à 640 000 mètres en l'air. Sauf, évidemment, que ses fesses enregistraient les secousses des chenilles qui mordaient dans le sable. Mais il avait tout le déploiement de lumières vives et de petits écrans, le matériel d'astronaute dont rêvent les enfants, et il pouvait tapoter les touches à cœur joie pour obtenir des données. Il ne s'était pas félicité d'avoir établi cette comparaison, parce qu'elle lui soulignait la futilité de ces recherches de soucoupes – et son propre échec démoralisant dans sa carrière. Néanmoins, il continuait, enfonçant des boutons ici et là.

Il parla de nouveau à Topeka. Il bavarda avec les garçons partis dans les deux half-tracks du nord, l'un qui avait maintenant dépassé Taos et l'autre qui patrouillait à proximité des villes espagnoles de l'autre côté de la forêt domaniale de Santa Fe. Il écouta ce qu'émettaient les radios des quatre half-tracks du sud dispersés en éventail entre Socorro et Isleta, aussi loin à l'ouest que Pie Town. Il échangea de brefs commentaires avec Bronstein, qui était dans la région déserte et désolée au sud du Pueblo Acoma et avançait dans la direction générale de la

1. C'est le *dipodomys,* rat du désert sautant à la façon du kangourou, rongeur nocturne vivant dans un terrier, habitant les régions arides de l'ouest des États-Unis *(N.d.T).*

Réserve des Zunis [1]. Entre eux, ils surveillaient en totalité une zone couvrant la trajectoire entière du prétendu météore, mais personne n'avait découvert quoi que ce soit. Toutes les heures à l'heure pile, Falkner se branchait sur la radio commerciale et les circuits vidéo pour obtenir les nouvelles. Il y avait évidemment une foule de gens pour crier à « la soucoupe volante » ce soir, car les présentateurs prenaient grand soin d'affirmer qu'il s'agissait seulement d'un météore. Passant d'une station à l'autre, Falkner entendit les mêmes déclarations apaisantes. Ils citaient tous Kelly, de Los Alamos. Qui était Kelly? Un astronome, peut-être? Non, juste un membre du « personnel technique », ce qui signifiait on ne sait quoi. Probablement un concierge. Mais les médias utilisaient la magie de son appartenance à Los Alamos comme un talisman pour rassurer les auditeurs inquiets.

Et voilà qu'ils y ajoutaient les propos de quelques astronomes. Un certain Alvarez, du mont Palomar, avait fait une déclaration. De même un certain Matsuoko, un astronome japonais en renom. Alvarez avait-il vu de ses propres yeux la boule de feu? Rien dans ses paroles ne l'indiquait. Et Matsuoko? Naturellement non. Pourtant tous deux discouraient savamment de météores, établissant avec minutie la différence entre météore et météorite, noyant l'anxiété éventuelle dans un torrent de verbiage réconfortant. Vers minuit, le gouvernement laissait filtrer des bribes d'informations fournies par les réseaux de détection et les satellites d'observation. Oui, les yeux des satellites avaient vu le météore. Non, il n'y avait rien à craindre. Purement et simplement un phénomène naturel.

Falkner se sentit mal à l'aise.

Son scepticisme invétéré et opiniâtre concernant les objets atmosphériques n'avait d'égal que son scepticisme opiniâtre invétéré à l'égard des déclarations officielles du gouvernement. Si le gouvernement prenait toute cette peine pour maintenir le calme dans la population, alors c'est qu'il devait y avoir sous roche quelque chose de

1. Les Indiens Zunis habitent trois pueblos dans l'ouest du Nouveau-Mexique. Ce sont d'excellents orfèvres et potiers. *(N.d.T.)*

vraiment inquiétant. Cela au moins était évident. D'autre part, si rompu qu'il fût à déceler la fausseté des déclarations officielles, Falkner avait un besoin profond et permanent de croire à la futilité et à l'inutilité de sa mission personnelle. Il ne pouvait pas se laisser croire à la réalité des soucoupes. Mais il ne pouvait pas croire non plus le gouvernement.

Minuit était passé depuis longtemps maintenant. Il scruta du regard la nuque épaisse de son chauffeur, assis dans le compartiment avant et complètement coupé de lui, et il réprima un bâillement. Il roulerait toute la nuit. Rien ne l'attendait au retour à Albuquerque sinon un lit vide et une journée de mégots de cigarette écrasés. Sa femme était en vacances à Buenos Aires avec son nouveau mari. Falkner avait fini par s'accoutumer à sa solitude, mais cela ne lui plaisait guère. Dans des circonstances semblables, d'autres se consolaient avec leur travail, mais le travail de Falkner n'était pas un travail pour un adulte, il le disait souvent.

A 3 heures du matin, il était arrivé au pied même des montagnes. Il connaissait une voie de bûcherons qu'il pouvait emprunter pour traverser la forêt domaniale s'il en avait envie, mais il ordonna au chauffeur de faire demi-tour. Il reviendrait à Albuquerque en décrivant un grand cercle, autour de la Mesa Prieta, il contournerait le Pueblo Jemez et reviendrait par la rive ouest du Rio Grande. Ils étaient toujours sur pied à Topeka et probablement aussi à Washington. Bravo, les héros.

Le flot d'informations sur les divers canaux se ralentissait. Pour passer le temps, Falkner projeta plusieurs fois l'enregistrement vidéo de la boule de feu. Il avait rassemblé maintenant une demi-douzaine de retransmissions de clichés qui avaient été pris à divers points de sa trajectoire. Il les étudia attentivement et fut obligé de reconnaître que cette subite trace lumineuse avait dû offrir un spectacle impressionnant. Dommage qu'il ait été à l'intérieur en train de se cuiter et qu'il l'ait manquée. Mais cela ressemblait tout de même à la trace d'un météore, se dit Falkner avec entêtement. Un gros météore, mais quoi d'extraordinaire? N'y avait-il pas eu celui qui avait foncé à travers la forêt sibérienne en 1908 et qui avait creusé dedans une trouée fantastique? Ou ce cratère géant de météore en Arizona? Qu'était-ce, sinon des phénomènes naturels?

Et la violence de la radiation actinique?

Simple. Il en avait discuté avec Bronstein deux heures plus tôt.

« Imaginez un fragment de contre-terre tombant dans notre atmosphère, avait dit Falkner. Une ou deux tonnes d'antifer, par exemple. Une foultitude d'antiprotons et d'antineutrons qui se rencontrent et annihilent la matière terrestre.

– C'est vieux comme Hérode, cette théorie-là, Tom.

– Et alors? Elle est plausible, non?

– Pas assez. Elle implique la nécessité d'admettre la présence d'une masse d'antimatière quelque part dans notre portion de l'univers, avait répliqué Bronstein, et il n'y a pas de preuve absolue qu'une telle masse existe ou même puisse exister. C'est beaucoup plus simple de considérer comme possible une race intelligente extra-terrestre qui envoie ici des observateurs. Appliquez donc le Rasoir d'Occam [1] à votre idée d'antimatière et vous verrez que c'est une hypothèse à la flan.

– Appliquez-vous le Rasoir d'Occam sur la gorge, Bronstein, et appuyez un bon coup. »

Falkner tenait à son idée en dépit des objections de Bronstein. D'accord, elle violait la loi de l'hypothèse la moins compliquée. Mais le Rasoir d'Occam était un outil destiné à faciliter le raisonnement logique, non une condition inflexible de l'univers et il n'était pas utilisable dans toutes les situations. Falkner cligna fortement des

1. *Le Rasoir d'Occam* (ou *Ockham*) est une règle philosophique qui pose en principe qu'on ne doit pas multiplier les entités (ou archétypes) : *Entes non sunt multiplicandae.* Cette formule a mis fin à la « querelle des universaux » qui durait depuis deux siècles. Elle est due au philosophe scolastique anglais Guillaume d'Ockham (1270/1300-1349/1350) expulsé d'Oxford, réfugié en France et théoricien du Nominalisme, précurseur des empiristes anglais. On l'a appelé le « Prince des Nominalistes ».

Universaux : dans la philosophie scolastique : Notions générales (genre, espèce, différence, etc.) qui, appliquées à un être, en permettent la connaissance complète. Nominalisme : le concept n'est qu'un nom accompagné d'une image individuelle. *(N.d.T.)*

paupières et regretta de ne pas avoir un verre de scotch. De pâles rayons d'aube commençaient à strier le ciel à l'est. Dans la capitale de la nation, c'était déjà le matin, les gens étaient debout et formaient des bouchons avec leurs voitures qui encombraient les rues. Voyons, si nous envisageons cette notion d'antimatière d'une façon rigoureuse, nous trouvons...

Quelque chose fit *ping* sur l'un des systèmes extérieurs de détection du half-track.

« Arrêtez le camion ! » cria Falkner au chauffeur.

Le véhicule s'immobilisa. Le signal continua. Avec une grande attention, le colonel Falkner examina ses données d'entrée pour s'efforcer de découvrir ce qui diable se passait. Il isola la cause du branle-bas. Les détecteurs repéraient la chaleur émise par un être humain ayant une masse d'environ 36 à 45 kilos dans un rayon d'environ 1 000 mètres. Effectivement, les détecteurs de métaux le confirmaient, relevant une quantité de données. Quelqu'un se trouvait par là.

La ville la plus proche était distante d'une trentaine de kilomètres. Il n'y avait même pas de chemin à moins de 20 kilomètres. La région était un désert, rien que des armoises à foison, quelques touffes de yuccas et d'herbes-aux-ours [1], ici et là un genévrier ou un pin pignon égarés qui étaient originaires des montagnes. Pas de ruisseaux, pas de mares, pas de maisons. Rien. Et personne ne vivait par ici. Cette terre n'était bonne à rien. Falkner se dit que son détecteur signalait la présence d'un scout à vingt et un badges qui campait pour la nuit, ou quelque chose d'aussi inoffensif. Néanmoins, il devait vérifier. Laissant le chauffeur dans le half-track, Falkner descendit.

Pour aller où ?

Mille mètres à explorer – cela fait beaucoup quand vous convertissez le rayon en circonférence et commencez à penser en termes de surface. Il alluma le projecteur au mercure qu'il portait à la hanche, mais cela ne lui facilita guère la tâche ; dans cette clarté grise d'avant

1. Le yucca est la fleur-emblème du Nouveau-Mexique. L'herbe-aux-ours est aussi une liliacée du genre *Nolina*, apparentée au yucca et que l'on cultive parfois en serre chaude pour ses feuilles charnues. *(N.d.T.)*

l'aube, un éclairage artificiel ne servait pas à grand-chose. Il décida d'inspecter les alentours pendant un quart d'heure, puis d'appeler un hélicoptère qui amènerait une patrouille de recherche. L'ennui avec ces systèmes de détection archiperfectionnés, c'est qu'ils ne fonctionnaient pas bien à très courte distance.

Il choisit une direction au hasard et se fraya un chemin sur le terrain inégal et sablonneux. Quand il eut parcouru cinquante pas, il aperçut ce qui ressemblait à un tas de vieux vêtements gisant dans un massif d'armoises et il y courut, éprouvant une sorte d'excitation frénétique et inquiète qu'il ne s'expliquait pas.

Quand il arriva auprès du tas de vêtements, il constata que c'était une femme blonde, jeune, au joli visage en dépit des taches de sang sur ses lèvres et son menton. Elle était vivante. Elle ne semblait pas consciente. Elle portait une espèce de combinaison spatiale d'une coupe que Falkner n'avait jamais vue, avec des « jets » de transport individuel sophistiqués, un casque au masque protecteur luisant et une étoffe d'une texture chatoyante, curieusement plaisante à regarder. Aussitôt lui vint le soupçon que cette jeune femme devait être un observateur chinois ou russe qui avait été obligé de s'éjecter au cours d'une reconnaissance aérienne quelconque. Sur le plan racial, évidemment, elle n'avait rien de chinois, mais aucune raison n'empêchait Pékin d'engager une blonde de Brooklyn comme espionne en cas de besoin. Si c'est à cela que ressemblait maintenant une combinaison spatiale chinoise, eh bien, chapeau.

Toutefois, elle avait manifestement fait un atterrissage brutal. Il ne voyait pas grand-chose de son corps mais, à la façon dont elle était tassée sur elle-même, Falkner pensa qu'elle devait avoir les deux jambes cassées, pour commencer, et probablement des lésions internes. Bon, il y avait une civière électrique dans le half-track; il allait la ramasser, la ramener à bon port en ville et la confier aux toubibs. Du moins n'appartenait-elle pas à une autre galaxie, sauf s'il y avait là-haut une galaxie qui produisait de belles filles blondes.

Son masque avait été ouvert par le choc lors de l'atterrissage. Falkner vit que la jeune femme remuait, qu'elle semblait murmurer quelque chose, et il écarta avec précaution de sa bouche la plaque transparente pour se pencher tout près et écouter.

Elle ne parlait pas russe : les mots étaient trop doux. Elle ne parlait pas chinois : l'inflexion était uniforme. Elle ne parlait aucune langue que Falkner connaissait. Cela lui causa un certain malaise. Il se refusa à croire qu'elle parlait la langue d'un autre monde. C'était du délire qu'il entendait. De simples divagations.

Était-ce de l'anglais cela, maintenant?

« S'ils voulaient porter secours... ils parlent quoi ici? L'anglais. Oui... l'anglais... »

Il examina de nouveau le costume spatial, vit à quel point il était étranger – et sa chair commença à se hérisser.

La jeune femme ouvrit les yeux. De beaux yeux. Des yeux effrayés. Des yeux voilés par la souffrance.

« Aidez-moi », dit-elle.

IV

PENDANT sa chute vers la Terre, Mirtin eut l'intuition qu'il allait être gravement blessé. Il prit cela avec calme, comme il prenait toute chose. La situation ne dépendait pas de lui. Ce qu'il regrettait, c'est la fâcheuse notoriété que cet exploit involontaire lui donnerait au pays, non la souffrance qui serait infligée à son corps dans l'avenir immédiat. Tôt ou tard, un vaisseau d'observation était voué par la loi des probabilités à se détraquer et à forcer son équipage à un atterrissage imprévu sur la Terre, mais Mirtin n'avait jamais pensé que le vaisseau en panne serait le sien.

Il y a des techniques pour se calmer l'esprit dans les moments de tension. Il s'en servit tandis qu'il plongeait à toute vitesse vers le monde obscur qui était au-dessous de lui.

La perte du vaisseau avait une importance mineure à ses yeux. Le désagrément de cet accident était mineur aussi. Les dangers qu'il affronterait sur la Terre étaient moins mineurs mais n'étaient pas non plus vraiment une cause de chagrin; il survivrait ou il ne survivrait pas, alors pourquoi pleurer? Il ne s'attardait pas non plus à méditer sur les blessures qu'il était certain de subir en atterrissant. Elles étaient guérissables. Non, ce qui bouleversait Mirtin à ce moment était la dislocation de son groupe sexuel. Étant le plus âgé, le plus pondéré, il se sentait la responsabilité de protéger les deux autres – et maintenant il ne pouvait leur être d'aucun secours.

Glair était probablement morte. Cela, c'était un coup

terrible. Mirtin l'avait regardée sauter maladroitement, l'avait vue tournoyer sur elle-même dans le pire plongeon possible à travers le vide. Peut-être avait-elle réussi à maîtriser sa descente, mais plus vraisemblablement elle était tombée, comme une pierre, vers une mort horrible et rapide.

Mirtin avait déjà perdu des partenaires de groupe, voilà bien longtemps, et il savait quel traumatisme provoquait cette perte. Et Glair était hors série; dotée d'une sensibilité unique pour percevoir les besoins du groupe, c'était le chaînon féminin parfait pour relier les deux mâles. Elle n'était pas facile à remplacer.

Vorneen avait mieux exécuté son saut et, d'ailleurs, Vorneen était capable de se tirer d'affaire tout seul. Mais il atterrirait à des kilomètres du point d'impact de Mirtin et ils risquaient de ne jamais se retrouver. Même s'ils se rejoignaient, leur situation ne serait pas facile – surtout sans Glair.

Mirtin se calma.

L'impact n'allait pas tarder, à présent.

On disait qu'un saut de ce genre produisait le même impact qu'une chute de trente mètres de haut. Culbute insuffisante pour tuer un Dirnan, mais la secousse serait néanmoins forte. Comme ils avaient abandonné le vaisseau à une altitude bien supérieure à celle recommandée pour une éjection, c'était raisonnable de s'attendre à d'importants dommages corporels. Mirtin fit ce qu'il pouvait, repliant solidement sur lui-même son intérieur dirnan dans son enveloppe de chair, son déguisement terrien. Il ne pouvait pas faire plus. Les os qui charpentaient sa coque charnue se briseraient probablement; les cartilages et tissus tendineux dirnans à l'intérieur ne risquaient rien. Mais se casser des os serait néanmoins douloureux et gênant pour lui. Ce logement qu'il portait était maintenant son corps, même s'il n'était pas né dedans.

La chute continuait.

Il se sentit menacé de perdre connaissance dans les tout derniers moments. Au prix d'un effort épuisant, Mirtin parvint à conserver sa lucidité. Il vit qu'il allait toucher le sol loin d'une grande ville. A l'est, il remarqua les bâtiments rectangulaires en terre battue d'un village indien, une de ces survivances curieuses du passé que les Terriens conservaient si soigneusement dans cette partie de leur monde. A l'ouest, dans le lointain, il y avait la grande faille d'un canyon. Entre les deux se trouvait sa zone d'atterrissage, une plaine raboteuse, marquée par des gorges profondes, des terrasses érodées, des mesas aux pentes abruptes. Là, en bas, il était soumis à des courants atmosphériques; Mirtin les sentit le déporter légèrement de deux ou trois kilomètres en direction du village indien. Il interrompit cette dérive avec ses jets de stabilisation et fit fonctionner l'écran de déploiement pour s'épargner les pires effets de l'impact.

N'empêche qu'au dernier moment il s'évanouit, en dépit de ses efforts. C'était aussi bien; car, lorsqu'il reprit connaissance, Mirtin comprit qu'il était grièvement blessé.

La première affaire à régler par ordre d'urgence était de traiter la souffrance. Il parcourut les rangées de ganglions, les débranchant systématiquement. Certains devaient demeurer actifs, bien sûr – ceux qui commandaient son système nerveux autonome. Il avait besoin du réflexe respiratoire et du groupe de nerfs qui animaient la connexion digestive/respiratoire/circulatoire. Mais tout ce qui n'avait pas d'utilité immédiate fut déconnecté, pour le moment. Sans ce brouillard fiévreux causé par la douleur, il pourrait étudier plus clairement sa situation et voir quelle autre mesure prendre.

Plus d'une heure s'écoula avant que Mirtin ait neutralisé une portion suffisante de son système nerveux pour ramener la souffrance à un taux supportable. Il eut encore besoin d'une demi-heure de plus pour débarrasser son corps des poisons secrétés par la douleur. Puis il fit le point.

Il était couché sur le dos, vers la pointe est d'une langue de terre triangulaire légèrement surélevée par rapport au terrain qui l'entourait. A sa gauche se creusait un ravin à sec qui devait être au printemps le lit d'un ruisseau. Sur sa droite se dressait une falaise abrupte et, à la faible clarté du jour qui pointait, il vit que la pierre était tendre et sableuse, trouée de nombreux petits orifices. A moins d'une douzaine de longueurs de corps derrière lui s'ouvrait l'entrée sombre d'une grotte. S'il pouvait s'y traîner, il aurait le refuge dont il avait besoin pendant que son corps franchirait les diverses étapes de la guérison.

Mais il était incapable de ramper.

Évaluer l'étendue des blessures subies par son corps était difficile avec une aussi grande portion de son système nerveux débranché, néanmoins Mirtin devina que sa colonne centrale interne avait subi une fracture perpendiculaire. Ses bras et ses jambes semblaient en bon état, mais ils n'avaient aucune réaction motrice, ce qui signifiait qu'il avait dû se rompre l'épine dorsale. Il pouvait réparer cela, avec suffisamment de temps. L'os devait d'abord se ressouder, puis lui Mirtin aurait à régénérer le trajet des nerfs. Cela prendrait, mettons, deux mois en temps local. Son corps intérieur dirnan était intact pour l'essentiel, il n'avait donc qu'à recréer son enveloppe.

Mais couché sur le dos ici en plein air? En hiver? Sans rien à manger?

Son corps était doté de nombreuses facultés particulières inconnues sur Terre, mais il ne pouvait pas se passer indéfiniment de nourriture. Mirtin calcula qu'il serait mort de faim longtemps avant d'être suffisamment rétabli pour se lever et se mettre en quête d'aliments. C'était purement théorique, d'ailleurs; une semaine sans eau l'achèverait. Il lui fallait un abri, des vivres, de l'eau et, dans son état actuel, il était incapable de s'en procurer tout seul, autrement dit, il avait besoin d'aide.

Vorneen? Glair? S'ils étaient vivants, ils avaient leurs propres difficultés. Mirtin était dans l'impossibilité de mettre en marche son communicateur, qui était monté sur son flanc, juste au-dessus de la hanche, et il ne possédait aucun moyen de leur envoyer un signal. Son seul espoir était que survienne un Terrien amical. Et, dans cette région désertique, Mirtin jugeait cette éventualité peu probable.

Il comprit qu'il allait mourir.

Pas dans l'immédiat, toutefois. Il résolut d'attendre trois jours, pour voir comment évoluerait la situation. A ce moment-là, il souffrirait horriblement du manque d'eau, il aurait juste assez de force pour déconnecter le reste de son système nerveux et glisser dans une mort paisible. Son cadavre se décomposerait rapidement, même dans ce climat sec et, un jour, on ne découvrirait que sa combinaison spatiale vide. Ces corps terriens artificiels étaient conçus pour pourrir vite, os et tout, une fois que l'étincelle de vie dirnane intérieure était retirée; les projeteurs prenaient le maximum de précautions pour empêcher les observés d'apprendre la présence des observateurs.

Mirtin attendit.

L'aube vint, un lent accroissement de clarté qui montait du ravin. Mirtin gisait avec patience. Un autre matin, puis un autre encore et tout serait fini. Il passa sa vie en revue. Il pensa à Glair et à Vorneen, à l'amour profond qu'il leur portait. Il se demanda, avec calme, si donner sa vie comme il le faisait pour sa planète servait à quelque chose.

Il se rendit compte, finalement, que quelqu'un approchait.

Mirtin ne l'avait pas escompté. Il s'était déjà résigné à demeurer couché le dos brisé dans le désert pendant le délai de trois jours qu'il s'était arbitrairement fixé, il aurait laissé le temps passer, puis il se serait éteint. Voici pourtant qu'apparemment il allait quand même être découvert.

Il était incapable de soulever la tête, mais il pouvait bouger les yeux. Il vit dans le lointain un Terrien et un animal apprivoisé qui venaient vers lui, toutefois pas d'une allure décidée. Ils avançaient au gré de leur fantaisie, l'animal avec des bonds et des gambades, le Terrien avec des arrêts pour lancer des pierres dans le ravin. Mirtin réfléchit à la décision qu'il devait prendre. Une mort rapide, maintenant, avant qu'on le trouve? Si le moindre risque existait qu'il soit conduit devant des autorités, il devait se détruire comme il en avait fait serment. Mais le Terrien paraissait jeune. Un gamin, seulement. Mirtin se força à penser en anglais, à modifier totalement son système de référence. Qu'était l'animal? Il avait oublié la majeure partie de ce qu'il connaissait sur les mammifères locaux. Chat, rat, chauve-souris? *Chien.*

Chien. Le chien avait repéré son odeur, à présent. Une petite créature maigre et marron avec une longue queue à panache blanc, un nez couvert de poils raides, des yeux jaunes. Il venait par ici. En flairant. Mirtin pouvait distinguer les saillies osseuses le long du dos du chien. Le gamin le suivait.

La truffe noire était maintenant contre son masque. Le garçon se tenait au-dessus de lui, les yeux écarquillés, bouche bée. Mirtin rassembla ses connaissances. Le garçon était au stade pré-pubertaire, dix ou onze ans peut-être. Cheveux noirs, yeux d'un marron tirant sur le noir, peau brun clair. Un membre du groupe négroïde? Non. Les cheveux étaient raides. Les lèvres étaient minces. Le nez avait l'arête fine. Un membre des aborigènes survivants de ce continent. Parle-t-il anglais? Est-il malveillant? La bouche ne béait plus. Maintenant elle était fermée, les coins relevés. Un sourire. Le signe d'une disposition favorable. Mirtin essaya de sourire aussi – et fut soulagé de constater que ses muscles faciaux obéissaient.

« Salut, dit le garçon. Êtes-vous blessé?

– Je... Oui. Je suis grièvement blessé. »

Le garçon s'agenouilla à côté de lui. Des yeux noirs brillants fixèrent les siens. Le chien, remuant la queue, flairait Mirtin tout autour et le poussait du nez. D'une tape vive, le garçonnet écarta l'animal. Mirtin sentit de la sympathie émaner du jeune Terrien.

« D'où venez-vous? chuchota le garçon. Z'êtes tombé d'un avion? »

Mirtin laissa passer sans y répondre cette question embarrassante. « J'ai besoin de nourriture... d'eau...

– Oui. Qu'est-ce que je dois faire, appeler le chef? On enverra un camion. On vous emmènera à l'hôpital à Albuquerque, peut-être bien. »

Mirtin fut saisi d'angoisse. L'hôpital? Un examen interne? Il ne pouvait pas courir ce risque. Qu'un médecin terrien fasse briller une de leurs machines à radiation à travers son corps, qu'il voie ce qui était lové à l'intérieur et tout serait découvert. Il s'était engagé à mourir d'abord.

Formant ses mots avec soin, Mirtin demanda : « Pourrais-tu m'apporter de la nourriture ici? Quelque chose à boire? M'aider à aller dans cette grotte, si possible? Simplement jusqu'à ce que je sois rétabli. »

Il y eut un long silence.

Puis – hasard, intuition, peut-être? – le jeune garçon plissa les lèvres, émit un sifflement et déclara : « Hé, je sais! Vous êtes tombé de la soucoupe volante! »

C'était un coup au but et Mirtin tiqua. Il n'avait été préparé à rien de tel. Automatiquement, il répliqua : « Une soucoupe volante? Non... Non, pas une soucoupe volante. J'étais en voiture. Il y a eu un accident. J'ai été éjecté.

– Où est la voiture, alors? »

Les yeux de Mirtin se tournèrent vers le ravin. « Au fond, là-bas, je suppose. Je ne sais pas. J'étais évanoui.

– Il n'y a pas de voiture. On ne peut pas rouler par ici. Écoutez, vous êtes venu de cette soucoupe, monsieur. Vous ne me trompez pas. De quelle planète vous êtes, hein? Comment ça se fait-y que vous ressemblez tant aux gens de la Terre, là-bas? »

Mirtin réprima une envie de rire. Il y avait tant d'intelligence dans l'étroit petit visage anguleux, un esprit tellement vif et sceptique derrière ces yeux brillants. Il éprouvait une immense sympathie pour le jeune garçon. Rien qu'un enfant à l'aspect miteux, qui ne parlait même pas un anglais très correct et pourtant Mirtin décelait en lui une potentialité, une étincelle de quelque chose. Il aurait aimé pouvoir être franc avec le garçonnet et laisser choir cette façade de mensonges soigneusement élaborés.

Mirtin demanda : « Peux-tu m'apporter de la nourriture? Quelque chose à boire?

– Vous voulez dire, vous l'apporter ici?

– Oui. Si je pouvais simplement rester dans cette grotte... jusqu'à ce que je sois rétabli...

– Mais je pourrais demander de l'aide au pueblo. Nous vous emmènerions dans un hôpital.

– Je ne veux pas aller dans un hôpital. Je veux seulement rester ici... seul. »

Silence pendant un instant.

Le jeune garçon reprit : « Vous n'avez pas l'air d'un gibier de potence. Vous n'êtes pas un évadé. Alors pourquoi que vous ne voulez pas de l'hôpital? Vous portez cette drôle de combinaison. Et vous parlez d'une drôle de façon sur les bords. Allez, monsieur. De quelle planète vous êtes? Mars? Saturne? Vous pouvez vous fier à moi. Je ne m'entends pas tellement bien avec le pueblo, de toute façon. Je vous aide, vous m'aidez. D'accord? »

Mirtin vit sa chance. Pourquoi ne pas se confier à ce garçon? En somme, il n'était obligé par aucun serment de tenir tous les Terriens dans l'ignorance de son origine extra-terrestre. Il devait trancher cette question-là au mieux de son jugement. Il aurait peut-être plus de bénéfice à dire la vérité à ce garçonnet mal débarbouillé, obtenant ainsi de l'aide, qu'à garder le secret. Surtout si les seuls autres choix qui s'offraient à lui étaient de mourir ici ou d'aller dans un hôpital et de voir son secret découvert par des gens qui très probablement le crieraient à tous les échos.

« Puis-je me fier à toi? demanda Mirtin.

– Vous m'aidez, je vous aiderai. Sûr.

– D'accord. J'ai sauté d'un vaisseau d'observation. Une soucoupe. Tu l'as vue exploser, hier soir?

– Vous parlez si je l'ai vue!

– Eh bien, c'était moi. J'ai atterri ici. Je suis blessé... les reins cassés. Je mettrai du temps à me rétablir. Mais si tu prends soin de moi, si tu m'apportes de la nourriture et de l'eau et si tu ne dis à personne que je suis ici, je m'en tirerai. Et alors j'essaierai de t'aider, pour tout ce que tu veux. Mais tu ne dois rien dire à personne.

– Vous vous imaginez que quelqu'un me croirait, dites donc? Un pilote de soucoupe volante dans le désert? Pas question que j'en parle.

– Bon. Quel est ton nom?

– Charley Estancia. De la tribu de San Miguel. J'ai deux sœurs, Lupe et Rosita, et deux frères. Ce sont tous des idiots. Vous vous appelez comment?

– Mirtin. »

Charley répéta le nom. « C'est tout? Rien que Mirtin?

– C'est tout.

– Qu'est-ce que cela signifie?

– C'est un groupe de sons codés. Il comporte des renseignements sur le lieu de ma naissance, les noms des membres de mon groupe parental et mes aptitudes professionnelles. Il y a beaucoup de choses condensées dans ces deux syllabes.

– Alors comment se fait-il que vous ressemblez à un Terrien, Mirtin?

– C'est un déguisement. Je suis différent à l'intérieur. Voilà pourquoi je ne veux pas aller dans un hôpital.

– On vous passerait aux rayons X et on le découvrirait, hein?

– Tout juste.

– Comment êtes-vous à l'intérieur?

– Je te semblerais très bizarre. J'essaierai de te faire comprendre comment je suis. Plus tard.

– Vous me montrerez?

– Je ne peux pas, répliqua Mirtin. Mon déguisement... ne s'enlève pas aussi facilement que ça, Charley. Il fait partie de moi. Mais je t'expliquerai ce qu'il y a dessous, quand nous aurons le temps. Je te raconterai ça en détail.

– Vous parlez rudement bien l'anglais.

– J'ai eu amplement le loisir de l'étudier. J'ai été affecté à la Terre depuis... » Il se tut un instant, effectuant un calcul. « Depuis... 1972. Dix ans.

– Vous parlez d'autres langues? L'espagnol?

– Couramment.

– Et le tewa? C'est la langue de mon pueblo. Vous connaissez ça?

– Malheureusement non », convint Mirtin.

Le jeune garçon éclata de rire. « C'est O.K.! Parce que nous ne le connaissons pas trop bien nous-mêmes. Les anciens, ils pensent qu'ils savent dire des choses en tewa, mais ils ne se comprennent plus réellement entre eux. Ils le croient, mais ils se font des illusions. C'est très drôle. Hé, vous êtes de Saturne? De Neptune?

– J'appartiens à un système solaire différent, répliqua Mirtin. Loin d'ici. A une planète qui tourne autour d'une autre étoile. Tu sais ce qu'est un système solaire? Et les étoiles et les planètes? Ici, c'est une planète, cette Terre, et il y a d'autres...

– Vous me prenez pour un Indien abruti? s'exclama Charley Estancia avec feu. Je connais les étoiles et les planètes. Et les galaxies et les nébuleuses. Tout le bazar. Je ne suis pas un imbécile. Je sais lire. Il y a un bibliobus, il passe même dans un pueblo. D'où venez-vous? Quand les étoiles s'allumeront ce soir, vous me désignerez la vôtre.

– Je ne peux rien désigner, Charley. Je suis incapable de lever mon bras. Paralysé.

– C'est si grave que ça, hein?

– Pour le moment. J'irai mieux, si tu t'occupes de moi. Mais je t'indiquerai où regarder, ce soir. Tu verras les trois étoiles brillantes qui sont alignées.

– Vous voulez parler du Baudrier d'Orion? »

Mirtin réfléchit, envisagea les constellations du point de vue de la Terre. « Oui. C'est lui.

– Et c'est de là que vous êtes?

– C'est de là que je suis. De la cinquième planète de l'étoile qui est à l'extrémité est. C'est loin d'ici.

– Et vous avez fait tout ce parcours dans une soucoupe volante? »

Mirtin sourit. « Dans un vaisseau d'observation, oui. Pour patrouiller autour de la Terre. Et, ce soir, notre vaisseau a explosé. Nous en sommes sortis juste à temps et c'est ici que j'ai atterri. Je ne sais pas ce qui est arrivé aux deux autres. »

Le jeune garçon était silencieux – il l'examinait, ses yeux brillants repéraient les détails du costume de Mirtin, scrutaient le visage de Mirtin peut-être en quête de quelque chose trahissant qu'il était originaire d'ailleurs. Finalement, Charley déclara : « Je ne sais pas qui est le plus fou. Vous pour me raconter ça, moi pour le croire.

– Tu ne penses pas que c'est la vérité?

– Je me le demande. Qu'est-ce que je devrais faire? Prendre un couteau et vous fendre en deux pour voir ce qu'il y a à l'intérieur?

– Je préférerais que tu t'en abstiennes. »

Le jeune garçon partit de son rire explosif. « Ne vous inquiétez pas, je ne veux pas le faire. Mais cela paraît tellement fou. Le passager d'une soucoupe volante qui tombe juste ici. Écoutez, il faut que vous m'expliquiez à quoi ça ressemble là-haut, hein? Vous parlez, j'écoute et je verrai bien si c'est vrai. Je peux me rendre compte si vous me racontez des craques. Je vous installerai dans cette grotte, puis vous me parlerez des étoiles. Il faut que je connaisse toutes ces choses-là. Je ne suis jamais sorti de chez moi et vous arrivez d'une planète. Vous allez me dire ça, d'accord?

– D'accord, dit Mirtin.

– Mais pour commencer nous devons vous emmener dans cette grotte. Après, j'irai vous chercher de quoi manger, boire. Le pueblo n'est pas loin. Est-ce que ça vous fera mal si je vous aide à vous lever? Vous pourriez vous appuyer sur moi.

– Ce serait peine perdue. Mes jambes sont paralysées aussi. Tu auras à me traîner par terre.

– Vous tirer par les bras? Gravement blessé comme vous êtes? Vous n'aimerez pas ça. Hé, j'ai une meilleure idée, Mirtin. Je vous placerai sur une civière. C'est mieux comme ça.

Mirtin regarda le jeune garçon se redresser d'un bond en sortant d'un fourreau qu'il portait au côté un couteau de chasse – et commencer à tailler à grands coups dans la végétation voisine. Il détacha deux longues perches sur un arbre rabougri, les élagua, se mit à sabrer les tiges de plantes gris-vert broussailleuses poussant bas sur le sol. Son visage était figé par la concentration, ses lèvres serrées. Les doigts du jeune garçon remuaient rapidement, tissant un réseau de fibres entre les deux perches. Le voir s'activer fascinait Mirtin. C'était si primitif et pourtant si efficace!

Après une heure de travail assidu accompli en silence, la civière fut terminée.

« Ça va faire mal, déclara Charley. Il faut que je vous hisse je ne sais trop comment sur cette civière. Une fois que vous y serez, ce sera parfait, mais pendant que je vous halerai...

– Je peux suspendre le fonctionnement de mon corps, lui dit Mirtin. Je ne sentirai rien pendant plusieurs minutes. Mais pas plus longtemps, sinon je mourrais.

– Juste l'interrompre? Comme avec un commutateur?

– A peu près. Quand mes yeux se fermeront, dépêche-toi de me mettre sur la civière. »

Pour la première fois, Mirtin vit quelque chose qui ressemblait à de l'étonnement respectueux et même à de la terreur, apparaître dans les yeux du jeune garçon. Mais très fugitivement. On aurait dit que Charley avait encore continué à croire à moitié qu'il s'agissait d'une blague jusqu'à ce que Mirtin propose de bloquer son système nerveux central – et que le gamin se rendait maintenant compte qu'il se trouvait peut-être pour de bon en présence d'un véritable extra-terrestre. Mais la terreur se dissipa vite. Charley Estancia ne semblait pas du tout avoir peur de lui. Mirtin comprit qu'il avait eu une chance folle d'être découvert par Charley. Ils allaient s'entendre à merveille, tous les deux.

« Quand vous serez prêt, dit Charley.

– Tout de suite », dit Mirtin.

Il suspendit le contact avec les derniers ganglions. L'espace d'un instant, il sentit des mains froides et maigres saisir ses poignets, puis il plongea dans les ténèbres d'une mort temporaire.

V

VERS minuit, Kathryn crut entendre de nouveau le cri plaintif du chaton de Jill. Elle se retourna, en se disant que c'était seulement un rêve, mais le bruit se reproduisit, avec insistance, et cette fois Kathryn se redressa sur son séant et prêta l'oreille. Oui, il y avait quelque chose au-dehors. Elle percevait le faible son d'un miaulement aigu. Elle fut certaine que le petit chat était revenu. Dieu merci, Dieu merci, Dieu merci! Comme Jill serait contente!

Elle sauta à bas du lit. Son peignoir gisait quelque part sur le sol au pied du lit; elle l'attrapa et l'enfila à la va-vite, nouant serré la ceinture. Elle descella la porte, neutralisa le signal d'alarme et sortit de la maison. Un vent froid venu du désert la frappa de plein fouet, traversant son peignoir mince et la chemise de nuit arachnéenne dessous, et elle frissonna au contact de cette main de glace sur sa chair. Où était donc ce petit chat?

Elle ne le vit nulle part. Mais elle entendait encore le faible son aigu.

Et à présent elle avait l'impression que ce qu'elle entendait ressemblait moins à un miaulement, plus à un gémissement.

Kathryn refréna son envie de se précipiter à l'intérieur de la maison et de la resceller. Il pouvait y avoir quelqu'un de blessé là, dehors. Un accident d'automobile, par exemple. Elle n'avait pas entendu de fracas, mais elle dormait peut-être à ce moment-là. Elle jeta un coup d'œil méfiant autour d'elle, regarda la maison voisine à sa gauche, l'étendue du désert à sa droite. Elle avança de quelques pas avec hésitation.

Elle vit l'homme, étendu à cinq ou six mètres de sa porte d'entrée sur un espace dénudé de sol sablonneux. Il était allongé sur le côté, la face tournée vers elle, vêtu d'une sorte de combinaison pour haute altitude. La visière s'était fendue, évidemment lors de l'impact, et pendait béante. Kathryn vit des macules de sang sur ses lèvres et ses joues. Il avait les yeux fermés. Il gémissait sans arrêt, mais il ne bougeait pas. Près de lui, il y avait trois ou quatre objets en métal luisant, des outils quelconques, qui avaient dû tomber des poches de sa combinaison.

Kathryn songea à cette boule de feu qu'elle avait aperçue quelques heures plus tôt. Seulement un météore? Ou était-ce en réalité un vaisseau qui explosait – et cet homme était-il un des survivants de la catastrophe?

Kathryn se précipita vers lui. Il remua comme elle approchait, mais ses yeux restèrent fermés. Elle s'accroupit près de lui, sans se soucier de la rudesse du sable contre ses genoux.

Difficile de déterminer la gravité de ses blessures. Il était jeune apparemment – la trentaine – et semblait souffrir. Et il était très beau. Kathryn fut surprise et troublée par l'intensité de sa réaction à la beauté du blessé. Elle se sentait en proie à une attirance sexuelle instantanée et cela la stupéfiait. Agacée, elle serra ses cuisses l'une contre l'autre et se pencha en avant pour l'examiner de plus près.

Elle écarta délicatement la visière. Il avait le visage éclaboussé de sang, mais elle s'était attendue à le trouver également baigné de sueur et ce n'était pas le cas. Les taches de sang avaient aussi l'air bizarres, songea Kathryn. A la clarté diffuse des étoiles, le sang lui parut avoir une très nette teinte orange. Imagination? Peut-être. Elle avait déjà vu du sang, au temps où elle était infirmière, et elle n'avait jamais vu de sang comme celui-ci.

Je devrais téléphoner à la police, se dit-elle. Ou appeler une ambulance, ou faire quelque chose dans ce genre.

Cependant elle s'abstint. Elle ne voulait pas mêler les autorités à cette histoire, pour le moment, et elle ne savait pas pourquoi. Avec précaution, elle glissa la main dans le casque ouvert et toucha la joue du blessé. Fiévreux. Mais pas de transpiration? Comment ça? Elle releva une de ses paupières – et un œil gris posa brièvement sur elle un regard détaché. L'œil se ferma quand elle ôta son doigt – et l'homme frissonna et grogna. Ses gémissements se coagulaient maintenant en mots. Kathryn fut incapable de leur donner un sens. Parlait-il une langue étrangère – ou était-ce seulement le délire provoqué par une souffrance intense? Elle s'efforça de saisir ne serait-ce qu'une syllabe, sans succès. Les sons semblaient se fondre les uns dans les autres.

Le vent mugissait autour d'eux. Kathryn leva la tête, s'attendant presque à trouver les voisins en train de les observer. Mais tout était calme. Elle était déconcertée par son attitude envers ce visiteur inattendu. Quelque chose de violemment protecteur sourdait en elle, quelque chose qui lui disait : *Prends-le dans ta maison, soigne-le pour le guérir.* Mais c'était ridicule. Elle ne le connaissait pas et elle craignait les inconnus, elle n'éprouvait aucune sympathie pour eux. Les hôpitaux ne manquaient pas. Elle n'avait rien à voir avec cet homme qui était tombé du ciel, cet agent d'une quelconque nation communiste. Comment pouvait-elle même songer un seul instant à l'emmener chez elle?

Elle n'y comprenait rien. Mais elle se pencha pour étudier de près le tissu sans coutures de la combinaison, cherchant à se renseigner sur l'origine du blessé. Machinalement, elle ramassa les outils qui se trouvaient près de lui. L'un d'eux ressemblait assez à une lampe-torche, avec un bouton à une extrémité. D'un geste machinal, Kathryn posa le doigt sur le bouton et eut un sursaut de peur quand un rayon doré jaillit et trancha la branche d'un arbre voisin. La branche tomba par terre. Kathryn laissa choir le petit tube métallique comme s'il l'avait brûlée. Qu'est-ce que c'était? Une sorte de laser portatif? Un rayon thermique?

D'où vient cet homme?

Elle ne toucha pas aux autres outils. Elle était incapable même d'imaginer leur fonction, mais tout à coup ils semblaient incroyablement étranges et... pas de ce monde. Elle sentit la tête lui tourner. Cette rencontre devenait irréelle.

Elle savait qu'elle devait l'emporter dans sa maison, lui enlever cette combinaison et découvrir de quels soins il avait besoin. Elle n'avait pas l'impression que cet homme, blessé au point où il l'était, présentait une menace pour elle ou son enfant endormie. L'année dernière, en Syrie, un homme était tombé du ciel exactement comme celui-ci. Son mari – Ted. Était-il vivant quand il avait atterri? Quelqu'un lui avait-il porté secours? Ou l'avait-on laissé seul gisant dans le désert jusqu'à ce que son dernier souffle de vie se soit échappé? Kathryn se demanda comment l'amener à l'intérieur. Un blessé ne doit pas être déplacé, en principe, bien sûr. Mais ce n'était pas loin. Pouvait-elle le soulever?

Elle glissa un bras autour de ses épaules et passa l'autre sous ses genoux. Elle n'avait pas l'intention de l'emporter, elle voulait simplement voir sa réaction quand on le bougeait. A sa surprise, elle le trouva d'une légèreté inattendue. Bien qu'ayant la taille d'un homme adulte, il semblait ne pas peser plus de trente-deux à trente-six kilos. Sans se rendre pleinement compte de ce qu'elle faisait, Kathryn se redressa, le tenant dans ses bras avec peine mais sans effort intolérable, et prit la direction de sa maison. Elle ouvrit la porte d'un coup de coude, introduisit son fardeau à l'intérieur et, haletant un peu, entra précipitamment dans la chambre.

Elle le déposa délicatement au seul endroit commode – son lit, le grand lit à deux places qu'elle avait partagé pendant six ans avec un mari qui n'était plus à présent qu'un souvenir en train de s'effacer. Le blessé gémit de nouveau et parla rapidement dans sa langue étrange, mais il ne s'éveilla pas. Il ne donna pas non plus de signes que son transport avait eu de mauvais effets. Bien. Bien. Kathryn sortit en courant de la chambre, le cœur battant, le corps soudain brûlant de sensations déconcertantes, l'esprit paralysé par le désarroi.

Et maintenant? Fermer et resceller la porte, d'abord. Brancher l'alarme. Puis...

Elle vérifia ce qui se passait dans la chambre de sa fille. Jill dormait toujours profondément. Kathryn régla le moniteur pour qu'il fasse vibrer son matelas et l'empêche de s'éveiller pendant un moment.

A la salle de bains, à présent. Elle ramassa des objets dans l'armoire à pharmacie, presque au hasard. Bandes, sparadrap, ciseaux, hémostatique, pulvérisation antiseptique, bouteille de calmant et sept ou huit autres choses qu'elle bourra dans les poches de son peignoir. L'homme sur son lit n'avait pas bougé. Elle devait commencer par lui ôter cette combinaison. Elle chercha une fermeture à glissière, une agrafe, un bouton, un truc quelconque. Elle fut incapable d'en trouver. Le tissu était lisse et sans faille. Kathryn en pinça un peu entre deux doigts et essaya de le couper, mais il résista aux ciseaux avec autant d'aisance que s'il avait été une toile d'acier. Elle n'osa pas retourner le blessé pour découvrir la glissière qui était peut-être de l'autre côté.

Il remua. « Glair? dit-il d'une voix nette. Glair?

– N'essayez pas de bouger. Vous ne risquez rien. Restez tranquille et laissez-moi vous aider. »

Il s'affaissa de nouveau. Avec plus de fébrilité maintenant, Kathryn chercha un moyen de lui enlever la combinaison. Mais celle-ci était aussi ajustée qu'une seconde peau et Kathryn désespérait d'y parvenir quand elle remarqua un bouton minuscule, presque imperceptible, au col. Appuyer dessus ne donna rien mais, quand elle l'eut tourné doucement vers la gauche, quelque chose parut céder sous la surface de la combinaison puis – très vite – elle vit la combinaison s'ouvrir d'elle-même, se fendant suivant une ligne allant de la tête aux pieds. En quelques instants, elle fut ouverte et Kathryn put enlever la partie supérieure, découvrant l'homme qui était à l'intérieur.

Il était pratiquement nu, portant seulement une bande jaune d'aspect caoutchouteux autour des reins. Son corps était élancé, très blanc, lisse et... beau. Le mot s'imposa de lui-même dans la conscience de Kathryn. Il avait une sorte de beauté presque féminine, faite d'élégance, de douceur satinée, de sveltesse; sa peau était quasi translucide. Mais même sans ôter le pagne, Kathryn savait qu'il était indéniablement masculin. Sous la peau d'ivoire, il y avait des muscles puissants, que la douleur faisait à présent rouler et se nouer. Ses épaules étaient larges, ses hanches étroites, sa poitrine et son ventre plats et fermes. Il aurait pu être une statue grecque devenue vivante. Seules la souffrance visible sur ses traits, les traînées de sang sur son menton, la pose tourmentée de son corps tenaillé par la douleur affectaient la sérénité et la symétrie athéniennes de sa forme.

Quelle était la gravité de son état? se demanda Kathryn.

Elle le palpa avec douceur, cherchant les blessures. Son expérience d'infirmière qu'elle n'avait pas utilisée depuis des années resurgit de la chambre forte de sa mémoire. Elle passa les mains sur sa peau fraîche. Elle vit que sa jambe gauche était cassée; ce n'était qu'une fracture simple, toutefois, et elle en fut troublée. A la façon dont le membre était courbé et recroquevillé, un fragment d'os déchiqueté aurait sûrement dû transpercer la peau et, pourtant, la peau était intacte. Un os pouvait-il se casser de cette façon, nettement, sans pénétrer la chair? Comment cet homme avait-il pu éviter une fracture compliquée alors qu'il avait la jambe aussi de guingois?

Elle fut incapable de déceler d'autres fractures, bien qu'il fût meurtri en une douzaine d'endroits. Sans doute existait-il des lésions internes. Cela expliquerait le sang autour de ses lèvres et de son menton. Ce sang, Kathryn le voyait bien sous la lumière vive de la chambre, avait effectivement une teinte orange. Elle le regarda d'un air incrédule, elle regarda de nouveau la jambe tordue et elle examina la combinaison ouverte sur laquelle il gisait encore, remarquant l'assortiment de compartiments et d'outils mystérieux sur la surface intérieure du vêtement. Elle ne voulait pas en tirer tout de suite l'ahurissante conclusion que cet homme arrivait d'un autre monde, elle rejeta donc ce genre de conjecture et se concentra sur son examen.

Elle se servit d'un linge humide pour enlever le sang de son visage. Il ne semblait plus saigner. Avec hésitation, elle posa les mains sur la jambe cassée et s'efforça de la ramener en place, tout en sachant qu'elle ne devrait pas se mêler de réduire une fracture. A sa stupeur, le membre céda facilement à la pression, comme s'il n'était que de la terre à modeler, et la plus légère des poussées lui permit de le réaligner. L'homme sur le lit grimaça; mais à présent sa jambe était de nouveau droite et Kathryn avait le sentiment que les deux parties de l'os brisé étaient en face l'une de l'autre. L'inconnu respirait plus facilement, la bouche ouverte. Kathryn prit le flacon de calmant et laissa quelques gouttes de l'anesthésique universel glisser entre ses lèvres. Il déglutit.

Il se sentirait mieux maintenant... en admettant qu'un corps comme le sien réagisse au calmant.

Elle se rendit compte qu'elle avait fait pour lui pratiquement tout ce qui était en son pouvoir, pour le moment. Il n'y avait pas de blessure externe nécessitant de pansement. Il avait cessé de gémir et paraissait simplement endormi. Elle le regarda d'un air soucieux. Tôt ou tard, il s'éveillera – et alors, quoi?

Kathryn chassa toutes ses craintes. Il serait mieux à son aise, décida-t-elle, sans ce vieux pagne caoutchouteux. Il aurait besoin d'évacuer ses excréments et il pouvait difficilement le faire avec le tronc enfermé dans du caoutchouc. Et elle ne voyait pas non plus le moindre genre d'ouverture dans le vêtement, ce qui achevait de la déconcerter. Il évacuait bien des excréments, non?

Il fallait qu'elle lui enlève ce pagne.

En même temps qu'elle y pensait, cette curieuse émotion sexuelle l'envahit de nouveau. Kathryn pinça les lèvres avec colère. Avant son mariage, elle était infirmière et elle avait manipulé des malades masculins à la façon dont les infirmières sont censées le faire, comme de la viande vivante, sans se préoccuper de leurs corps. Pourtant à présent elle ne parvenait absolument pas à retrouver cette neutralité. Un an de veuvage chaste l'avait-il donc rendue si avide de voir un corps d'homme? se demanda-t-elle. Ou s'agissait-il d'autre chose, d'une attraction puissante exercée seulement par cet homme en particulier? Peut-être était-ce simple curiosité indiscrète, le désir de découvrir ce qu'il y avait là-dessous. S'il venait vraiment d'un autre monde...

Kathryn saisit les ciseaux, les plaça contre la cuisse

droite de l'homme, les glissa sous le tissu et essaya de couper. Elle n'y réussit pas. Le sous-vêtement était aussi dur que sa combinaison spatiale – et les lames de ciseaux rebondirent loin du matériau élastique.

Elle pouvait faire descendre le vêtement en le roulant, elle en était sûre, mais elle ne voulait pas soumettre sa jambe blessée aux secousses que la manœuvre lui imprimerait. Perplexe, elle chercha une fermeture dissimulée comme en avait le survêtement et, tandis que ses mains se déplaçaient avec légèreté sur les hanches de l'homme couché, elle s'absorba à tel point dans sa recherche qu'elle ne s'aperçut pas qu'il avait repris connaissance.

« Qu'est-ce que vous faites? » demanda-t-il d'une voix agréablement sonore.

Kathryn recula d'un bond, saisie de panique. « Oh... vous êtes réveillé!

– Plus ou moins. Où suis-je?

– Dans ma maison. Près de Bernalillo. A une trentaine de kilomètres d'Albuquerque. Est-ce que cela vous dit quelque chose?

– Un peu. » Il regarda sa jambe. « Je suis resté longtemps inconscient?

– Je vous ai découvert il y a une heure environ. Vous étiez juste à côté de chez moi. Vous... avez atterri là.

– Oui. J'ai atterri. » Il sourit. Ses yeux étaient vifs, scrutateurs, ironiques. Il était invraisemblablement bien fait de sa personne, avec la beauté artificielle d'une vedette de cinéma. Kathryn garda ses distances. Elle était désagréablement consciente de la blancheur de la peau de l'inconnu, de sa propre tenue légère en peignoir et chemise de nuit, de l'enfant endormie dans la pièce voisine. Elle commença à regretter d'avoir cédé à cette subite impulsion de l'amener dans sa maison. Il demanda : « Où sont les autres de votre groupe sexuel?

– Mon groupe sexuel? »... d'un ton incompréhensif.

Il rit. « Pardon. Ma stupidité. Je veux dire, votre compagnon. Votre... mari.

– Il est mort, murmura Kathryn. Il a été tué l'année dernière. J'habite avec mon enfant.

– Je vois. » Il essaya de se mettre debout, mais serra les dents dès qu'il remua la jambe gauche. Kathryn s'approcha de lui et leva la main.

« Non. Restez couché. Votre jambe est cassée.
– A ce qu'il paraît. » Il se força à sourire. « Êtes-vous médecin?
– J'ai reçu une formation médicale. J'étais infirmière avant mon mariage. Votre jambe guérira très bien, mais vous ne devez pas peser dessus pendant un certain temps. Au matin, je téléphonerai à un médecin et il la plâtrera. »

L'amabilité s'effaça du visage de l'étranger. « Êtes-vous obligée de faire ça?
– Ça quoi?
– Appeler un médecin. Vous ne pouvez pas vous occuper de moi?
– Moi. Mais je... vous...
– Est-ce interdit sur le plan moral? Que la femme qui a été mariée reçoive un homme étranger dans le lieu qu'elle habite? Je peux vous payer. Il y a de l'argent dans ma combinaison. Laissez-moi simplement demeurer ici jusqu'à ce que ma jambe aille mieux. Je ne vous causerai pas de désagrément, je vous le promets. Je... » Un élancement de souffrance le tenailla subitement. Il noua ensemble ses mains, entrelaçant le bout de ses doigts, et tira du centre vers l'extérieur.

« Buvez-en un peu, dit Kathryn en tendant le calmant.
– Cela ne servira à rien. Je peux... traiter ça... »

Elle le regarda, intriguée, exécuter en silence une manœuvre intérieure. Quoi qu'il fût en train d'accomplir, cela semblait produire de l'effet. Les marques de tension s'effacèrent de son visage; il fut de nouveau décontracté; l'expression d'ironie détachée revint.

« Puis-je demeurer ici?
– Peut-être. Pour quelque temps. » Elle n'osa pas demander maintenant d'où il était venu ou qui il était. « Souffrez-vous beaucoup de votre jambe?
– C'est supportable. A mon avis, les vraies blessures sont peut-être bien internes. J'ai encaissé une mauvaise secousse quand je... quand je suis descendu. » Il prend apparemment la chose avec beaucoup de calme, songea-t-elle. Il poursuivit : « Vous n'aurez pas grand-chose à faire pour moi. J'ai besoin de repos, de nourriture, d'un

peu de soins. Je ne vous encombrerai que pendant quelques semaines. Pourquoi enleviez-vous ma gaine? »

Les joues de Kathryn se pointillèrent de rouge. « Pour que vous soyez plus à l'aise. Et... au cas où vous auriez besoin d'aller à la selle. Mais je n'ai pas pu l'ôter. Elle n'a pas voulu s'ouvrir et j'ai été incapable de la couper. Puis vous vous êtes réveillé. »

La main du jeune homme se dirigea vers sa hanche gauche et fit quelque chose que Kathryn ne put discerner, à la suite de quoi le vêtement jaune s'ouvrit d'un seul coup et tomba de côté, avec une telle rapidité qu'elle porta la main à sa bouche dans une réaction de surprise. Chose curieuse, sa nudité n'avait rien d'étrange. Kathryn ne savait pas ce qu'elle s'était attendue à voir – un organe inconnu, peut-être, ou plus vraisemblablement une surface asexuée de peau lisse comme chez une poupée – mais il était bâti de façon on ne peut plus classique. Kathryn regarda, puis détourna les yeux.

« Vous avez un tabou impérieux contre la nudité?

– Pas vraiment. C'est seulement que... oh, tout cela est si bizarre! Je devrais avoir peur de vous, mais ce n'est pas le cas, et je devrais téléphoner à la police, mais je ne téléphonerai pas et... » Elle se reprit. « Je vais vous donner un bassin. Voulez-vous que je vous cuisine quelque chose à manger? Du bouillon, un toast, par exemple? Et, tenez, laissez-moi essayer d'enlever cette combinaison de dessous vous. Vous pourrez mieux dormir sans elle. »

Il eut une légère crispation de douleur tandis qu'elle retirait doucement du lit la combinaison en la faisant glisser, mais il ne dit rien. Elle enleva la gaine de la même façon. Étendu svelte et nu sur son lit, il lui sourit avec gratitude. Kathryn le recouvrit. Il se montrait très calme, mais il souffrait sûrement beaucoup plus qu'il ne le lui laissait voir.

Il dit : « Voulez-vous mettre la combinaison en lieu sûr? Dans un endroit où elle ne risque d'être découverte par personne?

– Le fond de mon placard suffit-il?

– Pour le moment, répliqua-t-il. Je ne tiens pas à ce que quelqu'un d'autre que vous la trouve. »

Elle cacha la combinaison derrière ses vêtements d'été.

Il ne quittait pas Kathryn des yeux. Ramenant sur lui le couvre-pieds, elle proposa : « A présent, ça vous dirait de manger quelque chose?

– Au matin, je pense. » Sa main effleura brièvement celle de la jeune femme. « Quel est votre nom?

– Kathryn. Kathryn Mason. »

Il ne donna pas son propre nom et elle ne put se résoudre à le demander.

« Puis-je me fier à vous, Kathryn?

– Pour quoi?

– Pour garder secrète ma présence ici. »

Elle eut un petit rire sarcastique. « Je ne désire nullement créer un scandale dans le voisinage. Personne ne s'apercevra que vous êtes ici.

– Excellent.

– Je vais vous chercher le bassin, maintenant. »

Elle éprouva un certain soulagement à lui échapper. Il l'effrayait – et sa peur grandissait, au lieu de diminuer, à mesure que le temps passait. Son calme même était ce qu'il avait de plus terrifiant. Cet homme semblait irréel, synthétique, tout en lui sonnait faux, depuis son visage trop beau jusqu'à sa voix trop unie avec son ton trop détaché dépourvu d'accent. Et sortir de l'inconscience et du délire pour revenir à la rationalité en moins d'un quart d'heure, de cette façon, était encore plus fantastique. On aurait dit qu'il avait manœuvré à l'intérieur de lui-même un commutateur qui dérivait ailleurs les impulsions douloureuses.

Kathryn frissonna. Elle sortit le bassin du placard de la cuisine et le rinça.

Il y avait un homme inconnu dans sa maison et c'était troublant.

Il y avait un inconnu dans sa maison qui n'était peut-être pas un homme et c'était beaucoup plus troublant.

Elle retourna auprès de lui et il sourit quand elle glissa le bassin sous les couvertures. S'efforçant de retrouver son ancienne objectivité d'infirmière, Kathryn demanda : « Que puis-je faire d'autre pour vous, maintenant?

– Vous pourriez me donner des renseignements.

– Avec plaisir.

– A la radio, à la télévision, ce soir. A-t-on annoncé quelque chose d'extraordinaire dans cette région?

– Le météore, répliqua-t-elle. Je l'ai vu. La grosse boule de feu dans le ciel.

– Il s'agissait donc d'un météore?

– C'est ce qu'on a dit à la télévision. »

Il médita cette réponse pendant un moment.

Kathryn ne broncha pas, dans l'espoir d'une révélation, dans l'attente qu'il reconnaisse ouvertement son origine. Mais il restait bouche cousue. Il la regardait en silence.

« Aimeriez-vous que je ferme la lumière? » demanda-t-elle.

Il hocha la tête.

Elle fit l'obscurité dans la chambre. Elle se rendit compte seulement à cet instant-là qu'elle ne s'était laissé aucun endroit pour dormir. Il avait le lit – et elle pouvait difficilement s'y coucher à côté de lui.

Elle se blottit sur le divan de la salle de séjour. Mais elle ne dormit pas une seconde et, quand elle retourna dans la chambre, plusieurs heures avant l'aube, elle vit que lui aussi avait les yeux ouverts. De nouveau son visage était figé dans les lignes rigides de la souffrance.

« Glair? appela-t-il.

– Kathryn. Que puis-je pour vous?

– Simplement tenir ma main dans la vôtre », murmura-t-il. Elle la prit et ils demeurèrent ainsi jusqu'au matin.

VI

La destruction spectaculaire du vaisseau d'observation dirnan, cette nuit-là, avait été vue par des yeux nombreux, pas tous humains. A l'instant où le générateur du vaisseau atteignait le point critique et explosait, un éclaireur kranazoï décrivait au-dessus du Montana l'arc de surveillance qui lui avait été assigné, cap à l'est. Le premier éclair de l'explosion impressionna les senseurs du vaisseau kranazoï et, en quelques secondes, l'événement parvint à la connaissance du pilote qui passa avec célérité à l'action.

La désignation génétique du pilote était Bar-48-Codon-adf. Aux fins de cette mission, il avait habillé d'une masse de chair terrienne plantureuse le corps kranazoï anguleux à la peau rêche avec lequel il était né, ce qui lui donnait une apparence enjouée et rondelette bien peu en rapport avec le fond de sa nature. Il partageait son vaisseau avec trois autres membres de son actuelle unité de pariade, dont deux dormaient. Le troisième, qui avait pour désignation génétique Bar-51-Codon-bgt, étudiait des données quand l'explosion s'était produite. Elle/il-neutre [1] – tel était son rôle ambivalent dans l'unité de pariade – leva aussitôt les yeux vers Bar-48-Codon-adf et dit : « Le vaisseau dirnan vient de sauter!

– Je sais. Les écrans de photons sont déchaînés. »

Bar-48-Codon-adf fit courir ses doigts sur les entrées du

1. Le genre neutre, c'est-à-dire « ni masculin ni féminin », n'existe pas en français. Ce « il-neutre » rend (mal!) le « it » anglo-saxon. *(N.d.T)*

senseur du vaisseau kranazoï, tandis que Bar-51-Codon-bgt commençait à consulter la liste des vaisseaux d'observation dirnans connus pour être dans les parages. Quand elle/il-neutre eut identifié le vaisseau en question sur la carte témoin, il avait découvert le renseignement qu'il redoutait le plus de trouver : trois formes ayant approximativement une masse dirnane s'éjectaient et tombaient en direction de la Terre.

« C'est sûrement une entourloupette, marmotta-t-il. Ils ont organisé un atterrissage. Trois d'entre eux viennent de tomber de ce vaisseau avant qu'il explose!

– Es-tu sûr qu'ils sont vivants? » demanda Bar-51-Codon-bgt.

Il la/le regarda d'un air furibond. « Ils sont partis plusieurs instants avant l'explosion. C'est un atterrissage volontaire! Ils violent tous les accords! Il faut que nous filions à leurs trousses, sinon nous sommes dans la panade!

– Du calme, du calme. Tu manques de logique. S'ils avaient voulu faire un atterrissage volontaire, pourquoi laisseraient-ils leur vaisseau exploser? Cette tache a dû être enregistrée sur tous les écrans que possèdent les Terriens. Si on t'avait donné l'ordre d'atterrir sur la Terre, t'y prendrais-tu d'une façon aussi publique? »

Bar-48-Codon-adf en convint. « N'empêche, volontairement ou pas, ils ont atterri.

– Morts en touchant terre, c'est bien possible.

– Possible que oui. Possible que non. Tu veux en courir le risque? Moi pas. Au quartier général, on nous brûlera la cervelle si nous loupons ce coup-là. Nous devons descendre repérer la trace de ces damnés Dirnans et découvrir ce qu'ils mijotent! »

Bar-51-Codon-bgt eut l'air horrifié. « *Descendre? Sur la Terre?* Nous sommes des *observateurs*!

– Les accords autorisent l'atterrissage en cas de conduite suspecte de l'autre partie. Si par hasard deux Kranazoïs descendaient sur Terre comme ça, tu crois que les Dirnans n'expédieraient pas aussitôt sur nos talons un essaim de leurs observateurs? Nous ne pouvons pas nous permettre de leur laisser prendre une longueur d'avance. Du moins moi, je ne peux pas. Réveille les autres. »

Elle/il-neutre protesta. Les deux autres s'étaient appariés avec succès quelques heures plus tôt; ils avaient droit à leur sommeil. Mais Bar-48-Codon-adf s'obstina et, quand il était dans cette humeur, impossible de lui résister. Peu après, les deux autres membres de l'unité de pariade sortirent en trébuchant de leurs compartiments couchettes, l'air contrariés et irrités – et pas du tout bouleversés par l'atterrissage probable de trois membres de la puissance rivale sur le territoire neutre de la Terre. Cela les perturbait beaucoup plus que Bar-48-Codon-adf ait interrompu leur sommeil et ils le lui firent savoir. La querelle se poursuivit pendant plusieurs minutes, au cours desquelles Bar-48-Codon-adf modifia le cap du vaisseau afin de l'emmener au sud vers le site de l'atterrissage dirnan. Il laissa les autres se purger de leur hostilité.

Quand ils furent redevenus acceptablement raisonnables, il déclara : « Nous allons descendre le vaisseau à l'altitude de croisière et je m'éjecterai. Prévenez le quartier général de ce que nous entreprenons et restez, jusqu'à ce que je vous appelle, à proximité suffisante pour me reprendre.

– Tu vas descendre là-bas *seul*? questionna d'un ton apeuré Bar-51-Codon-bgt.

– Je m'en tirerai très bien. Personne ne s'attaque à un gros bonhomme. Je vais jeter un coup d'œil, pister les Dirnans, essayer de me faire une idée de ce qu'ils manigancent. Quand je saurai quelque chose, je vous dirai de venir me chercher. »

Bar-79-Codon-zzz s'exclama avec dédain : « Héros! Chasseur de médailles!

– Arrête. Où est ton sens des responsabilités? Où est ton patriotisme? »

Bar-79-Codon-zzz, qui était un élément entièrement féminin dans l'unité de pariade et qui portait aussi le déguisement d'un Terrien féminin, le regarda avec humeur. « Ne me parle pas de patriotisme, veux-tu? Nous sommes loin de chez nous en train de remplir une mission sans intérêt, assommante, ridicule, pour des raisons purement rituelles et je veux bien être grillée si je la prends au sérieux autant que toi. Un jeu de gendarmes et de voleurs! On file au ras de cette horrible planète comme de dégoûtants fouineurs! Pourquoi ne pas la laisser aux Dirnans et... »

Bar-51-Codon-bgt lui donna un coup de coude. « Garde ta salive, murmura-t-elle/il-neutre. Sa décision est prise. D'ailleurs, aussi bien cela pourrait être important. Laisse-le descendre là-bas s'il en a envie. »

La question était réglée. Le vaisseau kranazoï plongea vers la Terre, fendant le ciel nocturne toutes ses ouvertures opacifiées. Bar-48-Codon-adf était agacé par l'attitude de ses compagnons de bord, mais il n'avait aucun désir d'entamer maintenant une discussion prolongée avec eux. Le devoir, c'est le devoir. Ils étaient postés ici pour surveiller non seulement la Terre mais aussi les activités de leurs rivaux, les Dirnans. Le devoir lui commandait d'atterrir et de poursuivre – et, s'il le fallait, d'arrêter – le trio pour violation des accords.

Lorsque le vaisseau atteignit l'altitude de neuf mille mètres, Bar-48-Codon-adf fit la déclaration officielle de son intention d'atterrir et de ses raisons pour ce faire. A une altitude de six mille mètres, il endossa son équipement de saut, qu'il n'avait jamais pensé utiliser. A une altitude de trois mille mètres, il franchit l'écoutille avec une assurance totale et se laissa tomber.

L'atterrissage fut cahoteux, mais pas réellement mauvais. Bar-48-Codon-adf enleva son équipement de saut, dont il tourna le bouton d'autodestruction. Ledit équipement s'enflamma convenablement et, quelques minutes plus tard, se trouva entièrement réduit en poussière. A présent, Bar-48-Codon-adf arborait la tenue en même temps que le corps d'un Terrien d'âge mûr à la silhouette corpulente. Il mit en marche sa cassette d'instructions concernant son identité et découvrit que son nom de Terrien était David Bridger, qu'il était âgé de quarante-six ans, célibataire, né à Circleville dans l'Ohio et qu'il habitait San Francisco en Californie. Il avait atterri à plusieurs kilomètres des limites de la ville d'Albuquerque, au Nouveau-Mexique. Le jour ne se lèverait que dans quatre ou cinq heures; d'ici l'aube, il serait arrivé sans encombre en ville et il pourrait commencer ses recherches.

Si ces trois Dirnans s'apprêtaient à commettre quelque

chose d'illégal, il se jura qu'ils le paieraient. Il les amènerait devant la Commission des accords et les accuserait d'ingérence! Il leur ferait brûler la cervelle! Pour qui se prenaient-ils, à débarquer sur Terre comme si la planète leur appartenait?

Les sourcils froncés, David Bridger de San Francisco – jusqu'à ces derniers instants l'agent et observateur kranazoï Bar-48-Codon-adf – marcha d'un pas vif en direction de la proche Albuquerque, ruminant de sombres pensées concernant la planète Dirna et tous ses misérables ressortissants.

VII

PENDANT trois jours, Glair demeura sans le franchir au seuil de la conscience. Ses membres palpitaient sous le coup d'une douleur cuisante; son corps entier donnait l'impression d'être enflé et bouffi. Elle savait qu'elle était maintenant hideuse et cela l'horrifiait. C'était plus dur à supporter que la souffrance elle-même.

Une sorte d'oscillation par rétroaction la maintenait errante à la frontière de la connaissance. Quand elle était éveillée, elle souffrait atrocement et elle se mettait à se servir de sa maîtrise mentale pour déconnecter tous les ganglions nerveux dont elle pouvait se passer. Quand elle en avait neutralisé suffisamment, elle commençait à se détendre et à glisser dans la non-souffrance de l'inconscience. Mais elle n'osait pas se risquer à se laisser couler avec un système nerveux bloqué si bien que, dès qu'elle se sentait partir, elle reconnectait les ganglions et revenait du halo gris du néant dans la douleur renouvelée. Cette douleur provoquait à sa façon une sorte d'inconscience, quand Glair lui permettait de s'épanouir sans s'y opposer. Non seulement les nerfs de son enveloppe externe mais les nerfs de son corps dirnan à l'intérieur étaient affectés par les impulsions qui, parfois, étaient si fortes que les canaux neuraux tendaient à être surchargés.

Confusément, Glair savait qu'elle avait été découverte dans le désert et emportée dans une demeure terrienne. Confusément, elle se rendait compte que sa combinaison spatiale et même sa gaine lui avaient été enlevées. Elle sentait la succession du jour et de la nuit. Elle avait l'idée qu'on lui administrait des drogues antalgiques – un geste qui ne servait à rien; elle ne pouvait y réagir – et que quelque chose avait été fait pour réduire la fracture de ses jambes, ce qui était plus utile. Mais elle ne reprit pas pleinement ses esprits et n'examina pas l'endroit où elle se trouvait. Elle restait sans bouger dans son bain de souffrance.

Vorneen avait-il survécu à l'explosion? Mirtin vivait-il?

Elle avait été trop occupée à s'efforcer de contrecarrer les effets de son saut maladroit pour prêter attention à ce qui se passait au-dessus d'elle. Glair supposait que ses deux compagnons avaient sauté à temps, mais elle n'avait aucun moyen d'en acquérir la certitude. Elle revivait sans cesse son saut – ce pas en avant bêtement mal assuré, cette paralysie absolue dans l'instant où la terreur envahissait son âme, cette chute verticale comme une pierre, horrible, interminable. Puis la récupération, des milliers de mètres plus bas, et le soulagement quand l'écran de déploiement s'était stabilisé et avait freiné sa descente. Bien sûr, il n'y avait plus aucun espoir d'atterrissage en douceur à ce moment-là; elle avait déjà acquis une vélocité formidable et l'écran ne pouvait absolument pas exercer à temps un effet de décélération. Au mieux, il l'empêcherait d'être réduite en bouillie. Elle avait atterri – bien qu'ayant mis en dérivation sa connaissance avant le moment de l'impact. Elle avait été grièvement blessée. Elle avait été découverte. Glair n'était sûre de rien d'autre.

Le quatrième jour, elle s'éveilla.

Elle éprouva d'abord comme un chatouillement contre son bras et, bien que ce fût quelque chose qu'elle avait déjà ressenti pendant ces journées de souffrance, cette fois elle en fut amusée plutôt qu'agacée. Glair ouvrit les yeux pour voir ce qui se passait. Un Terrien musculeux était penché sur elle, pressant un petit tube de céramique brune brillante contre le gras de son bras. Il se redressa aussitôt que le regard de Glair croisa le sien.

« Vous voilà enfin réveillée, dit-il. Comment vous sentez-vous?

– Horriblement mal. Qu'est-ce que vous vouliez faire à mon bras?

– Vous administrer une piqûre intraveineuse. J'essaie de vous nourrir. Mais j'ai du mal à trouver vos veines. »

Glair tenta de rire. Rire, elle le savait, était la méthode des Terriens pour détendre l'atmosphère en société. Mais il y avait longtemps qu'elle avait suivi le cours de préparation aux coutumes terriennes et ses muscles faciaux ne reproduisirent pas avec aisance la configuration qui était le rire. Elle fut obligée de se forcer et le résultat avait dû ressembler plus à une grimace de douleur qu'à un rire, car il provoqua chez le Terrien un soupir de compassion.

Il dit : « Vous souffrez. J'ai du calmant ici... »

Glair secoua la tête. « Non. Non, cela va aller. Est-ce un hôpital? Êtes-vous médecin?

– Non. Et non. »

Elle fut soulagée et déconcertée. « Où suis-je, alors?

– Chez moi. A Albuquerque. Je vous soigne depuis que je vous ai trouvée, l'autre soir. »

Glair l'examina. C'était le premier Terrien qu'elle voyait en chair et en os – bien différent des enregistrements solidographiques utilisés par tous les observateurs dirnans pendant la période d'entraînement – et cette vision la fascinait. Comme son corps était épais! Comme ses épaules étaient massives! Les narines sensibles de Glair captèrent l'odeur de son corps, suave et excitante, dans le parfum plus piquant de l'air de la Terre. Il ressemblait presque autant à un animal qu'à une créature intelligente, si plein de force primitive était son corps.

Et Glair eut l'impression que cet homme, son sauveur, était en proie à une angoisse mortelle. Quelque dépourvue d'expérience qu'elle fût en ce qui concernait les Terriens, elle savait lire sur leur visage les signes de la détresse. Cet homme serrait tellement les mâchoires que les muscles formaient des bosses qui roulaient dans ses joues. Sa langue passait rapidement sans arrêt sur ses lèvres; ses narines étaient rigides. Ses yeux, cernés de lignes sombres, portaient les stigmates rouges de l'insomnie. La vue d'une telle tension sur le visage d'un être sensible avait quelque chose de terrifiant. Oubliant pour l'instant ses propres difficultés, ses blessures, son isolement de sa propre race, sa peur d'être découverte, Glair tenta de transmettre une chaude sympathie pour les problèmes de cet homme, quels qu'ils fussent.

Elle jeta un coup d'œil dans la pièce. C'était une chambre petite, austère, au plafond bas, au mobilier modeste. À travers une partie transparente d'une paroi, le soleil affluait. Glair était couchée sur un lit étroit, dévêtue, une couverture légère remontée jusqu'à sa taille. Les globes fermes de ses seins étaient découverts, ce qui ne la gênait nullement mais qui semblait provoquer un certain émoi sexuel chez son hôte, à en juger par l'évidente attirance conflictuelle qui conduisait ses yeux à la poitrine de Glair et les faisait s'en détourner aussitôt. Le Terrien souffrait apparemment d'une demi-douzaine de tensions d'origines différentes à la fois.

Elle resta étendue sans bouger, épuisée par l'obligation de traduire en réalités des termes théoriques appris voilà longtemps. Elle avait été bien préparée, comme tous les observateurs, à l'éventualité d'un atterrissage forcé sur la Terre. Néanmoins elle était contrainte de s'appliquer pour s'adapter à son nouvel environnement, pour penser : ceci est un lit, cela ce sont des couvertures, ça c'est un mur, le Terrien porte une chemise grise et un pantalon marron. Point ne s'agissait seulement de trouver des équivalents terriens aux termes dirnans, mais d'identifier des concepts entiers. Les Dirnans n'utilisaient pas de lits, de couvertures, de chemises ni de pantalons. Ni bien d'autres choses qui étaient subitement devenues d'un intérêt vital pour elle.

Il déclara : « Vos deux jambes étaient cassées. J'ai réduit les fractures. J'ai réussi à faire descendre un peu d'aliment dans votre gorge. Je vous ai veillée pendant trois jours et trois nuits. J'ai cru que vous alliez mourir, le premier jour et la moitié du suivant. Mais vous aviez dit : « Aidez-moi », vous rappelez-vous ça? Vous étiez consciente quand je vous ai trouvée et c'est ce que vous m'avez dit. Je n'ai rien entendu d'autre de vous jusqu'à maintenant. Je vous ai aidée, j'espère.

– C'était très aimable à vous. Il est probable que je serais morte sans votre secours.

– Mais je suis bon pour l'asile. Je n'aurais jamais dû vous amener ici. J'aurais dû vous conduire tout droit en ville, à l'hôpital militaire. Sous étroite surveillance. » Il frémissait comme si tous les muscles de son corps énorme se battaient entre eux. « Je cours au-devant du conseil de guerre en faisant ça. C'est de la folie pure. »

Elle ne savait pas ce qu'est un conseil de guerre, mais le Terrien semblait manifestement au bord de l'effondrement. Avec douceur, elle dit : « Vous avez besoin de repos. Vous n'avez pas dû dormir du tout, à prendre soin de moi. Vous avez l'air malheureux. »

Il s'agenouilla près du lit. Il remonta la couverture d'un revers de main, enfouissant Glair jusqu'au menton, comme si la vue de ses seins le troublait ou peut-être le dégoûtait. Son visage était proche du sien et Glair vit le tourment dans ses yeux.

D'une voix basse, tendue, il murmura : « *Qu'est-ce que vous êtes*? »

L'histoire qu'elle improvisa lui coula naturellement des lèvres. « Je suis une élève-pilote, dit-elle. J'ai décollé de l'aéroport de Taos avec mon moniteur juste après dîner et nous avons eu des ennuis de moteur au-dessus de Santa Fe... »

Les mains du Terrien se crispèrent en poings massifs. « Écoutez un peu, ça se tient très bien ce que vous me racontez, mais je n'en crois pas un mot. Vous êtes couchée ici nue depuis trois jours chez moi. Je vous ai soignée. J'ai eu le temps de vous examiner. Je ne sais pas ce que vous êtes, mais je sais ce que vous n'êtes pas. Vous n'êtes pas une gentille petite fille de Taos qui avez dû vous éjecter quand votre jet s'est déréglé. Vous n'êtes absolument pas humaine. Ne faites pas semblant. Pour l'amour du Ciel, dites-moi ce que vous êtes, d'où vous venez! Je souffre mort et passion à chaque seconde depuis que vous êtes ici. »

Glair hésita. Elle connaissait les règlements qui régissaient les contacts occasionnels avec des Terriens. Vous deviez en principe empêcher à n'importe quel prix que l'on s'aperçoive de ce que vous étiez – et notamment que cette découverte soit effectuée par une quelconque autorité gouvernementale. Mais les règlements n'étaient pas inflexibles. Vous aviez le droit de prendre les mesures en votre pouvoir afin de préserver votre existence, et la révélation judicieuse de votre identité était, dans certains cas, susceptible d'être considérée comme admissible. L'objectif était de survivre – et de quitter la Terre dans les plus brefs délais. Mais, étant donné ses blessures, elle était incapable d'aller où que ce soit et cet homme était son unique moyen de se sortir d'affaire. Glair interpréta les règlements comme signifiant qu'elle avait la latitude de se confier à lui afin de subsister, en se fondant sur l'hypothèse que, de toute façon, une fois qu'elle aurait réussi son évasion, personne n'ajouterait foi à ce qu'il dirait.

« Que pensez-vous que je suis? demanda-t-elle.

– Vous avez atterri dans le désert après le passage de la plus sensationnelle boule de feu qu'on ait jamais vue dans le ciel. Vous n'aviez pas de parachute, seulement une espèce de combinaison de caoutchouc pleine de matériel et d'outils bizarres. Vous marmottiez dans une langue que je n'ai encore jamais entendue. D'accord, je pouvais toujours croire que vous étiez une espionne d'un pays étranger. Mais je vous ai ramenée chez moi. Je n'aurais pas dû et je ne sais pas pourquoi je l'ai fait, mais je l'ai fait et j'ai obtenu que le chauffeur de mon half-track soit transféré dans le Wyoming pour qu'il ne parle pas, je vous ai mise au lit, je vous ai enlevé cette combinaison – et aussi votre sous-vêtement en caoutchouc. Pendant tout le temps où je m'affairais à ça, je me suis efforcé de me dire que vous étiez un être humain. »

Il se releva, marcha jusqu'à la fenêtre, replia une de ses grandes mains dans l'autre. Glair entendit un bruit sec, comme un craquement, quand il appuya sur ses jointures.

Il reprit : « Je vous ai examinée. Les deux jambes cassées. Pendant que j'inspectais une de vos jambes, rien qu'en la palpant légèrement pour vérifier l'étendue des dégâts j'ai senti l'os glisser en place. Quel genre d'os avez-vous donc? Ils ont dû se casser net en deux, ils se remettent droit d'un seul coup. Vous ne transpirez pas non plus. Et vous n'excrétez pas. Tous les dispositifs sont là, mais vous ne les utilisez pas. La température de votre corps avoisine les 30 degrés. Je n'ai absolument pas pu prendre votre pouls. Quand j'ai essayé de vous faire des injections pour vous alimenter, j'ai été incapable de trouver aucune des veines nécessaires, alors j'en ai été réduit à verser l'aliment directement dans votre bouche. Mais je ne sais même pas si vous aviez besoin de cette nourriture. » Il revint vers elle et plongea son regard droit dans le sien. « Vous n'êtes pas un être humain. Vous êtes la parfaite enveloppe en plastique d'une belle jeune femme, recouvrant Dieu sait quoi. Vous êtes humaine à la surface de la peau exclusivement. Alors, qu'êtes-vous? »

D'une voix égale, Glair répliqua : « Je suis un observateur. Je viens de Dirna. C'est une planète lointaine d'un autre soleil. Vous sentez-vous heureux de savoir cela? »

Il réagit comme si elle lui avait planté un poignard dans le corps. Il recula, avec un sifflement bref, le visage durci sous le coup du désarroi. Sa main se releva avec raideur pour s'appliquer sur sa poitrine qu'il massa comme s'il souffrait. Il avait un ton morne en demandant : « Vous êtes venue en soucoupe volante, c'est ça?

– Vous donnez ce nom à nos vaisseaux, oui.

– Dites-le! Vous êtes venue dans une soucoupe volante! Dites la phrase idiote toute entière.

– Je suis venue dans une soucoupe volante », murmura Glair, se sentant ridicule en prononçant cette phrase ridicule.

Le Terrien se détourna d'elle à nouveau. « Je pourrais aller en ville prêcher au Culte du Contact, maintenant, dit-il d'une voix sourde. Je pourrais leur parler de la belle femme de la soucoupe que j'ai trouvée dans le désert, leur dire comment je l'ai ramenée chez moi, comment je l'ai soignée et guérie, ce qu'elle m'a raconté sur sa planète lointaine. Une vraie histoire de fous, exactement comme les autres. Sauf que vous êtes réelle, n'est-ce pas? Je ne suis pas en train d'imaginer ça sous le coup d'une hallucination! Comprenez-vous ce que je dis?

– En majeure partie.

– Tout ceci est-il vraiment en train de se produire?

– Oui, dit Glair à mi-voix. Approchez. »

Il vint à elle. Glair posa la main sur le puissant, le dur piston qu'était son bras. Elle n'avait encore jamais tâté la chair d'un Terrien. Ses doigts s'enfoncèrent – et la chair ferme résista à sa prise.

« Touchez-moi », dit-elle.

Elle écarta de son corps la couverture qu'elle lança sur le sol. Le Terrien cligna des paupières comme aveuglé par un soudain afflux de lumière. En se regardant, en regardant les collines et vallons du corps qui lui était devenu si familier au cours des dix dernières années, Glair vit les enveloppes écrues qui recouvraient ses jambes des chevilles aux genoux. Il l'avait bien soignée, faisant de son mieux avec tendresse pour guérir ses membres brisés.

Il la toucha.

Avec une timidité qui semblait déplacée chez un homme d'aspect aussi mûr, il posa ses mains sur les épaules de Glair et les glissa le long de ses bras. Avec légèreté et seulement d'un geste bref, il effleura les globes élastiques de ses seins. Il caressa les flancs de son abdomen et les colonnes rigides de ses cuisses. Il avait la respiration rauque, hachée, irrégulière; ses mains tremblaient et Glair sentit l'odeur âcre de la sueur dominer l'odeur plus agréable qu'avait eue auparavant la chair du Terrien. Glair avait maîtrisé à présent la technique du sourire et son sourire ne s'effaça pas tandis que les mains du Terrien exploraient sa chair. Finalement il s'écarta, ramassa la couverture, la replaça sur elle.

« Suis-je réelle ou suis-je un rêve? demanda-t-elle.

– Réelle. Votre peau est si douce... si convaincante.

– Les observateurs doivent ressembler aux Terriens. Il devient parfois nécessaire pour nous de venir parmi vous. Pas souvent. A ces moments-là, il faut que nous paraissions être de votre espèce. Mais il y a toujours le risque que l'un de vous s'approche trop et découvre ce qu'il y a sous la peau. Nous n'avons pas le moyen de changer notre nature profonde pour reproduire la vôtre.

– Alors, c'est donc vrai? Des êtres venus de l'espace observent la Terre du haut de... de soucoupes volantes?

– C'est vrai depuis de nombreuses années. Nous surveillons la Terre depuis plus de temps que vous n'avez vécu. Depuis plus longtemps que je ne suis en vie. Les premières patrouilles sont arrivées ici il y a bien des milliers d'années. Aujourd'hui, nous exerçons une surveillance plus étroite que jamais. »

Les mains du Terrien pendaient mollement le long de son corps. Sa bouche remuait, mais aucun mot n'en sortit.

Finalement, il demanda : « Vous savez ce qu'est le C.E.O.A.? Le Centre d'Études des Objets Atmosphériques? »

Glair en avait entendu parler. « C'est l'organisme que vous autres Terriens américains avez institué. Pour observer les observateurs, en quelque sorte.

– Oui. Pour observer les observateurs. Eh bien, je travaille pour le C.E.O.A. C'est ma tâche de relever tous les renseignements signalant ce que ces idiots appellent des soucoupes volantes et de vérifier s'ils ont un intérêt quelconque. Je reçois un chèque tous les mois pour faire la chasse aux êtres d'un autre monde. Comprenez-vous, je ne peux pas vous garder ici! C'est mon devoir de vous livrer à mon gouvernement! Mon devoir, nom de Dieu! »

VIII

TOUT le long du jour, Charley Estancia avait vaqué à ses occupations comme si de rien n'était. Il s'était réveillé dès l'aube, à l'heure habituelle; personne ne pouvait dormir tard dans les deux pièces en adobe blanchi à la chaux qui abritaient les quatre adultes et les cinq enfants de la famille Estancia. Le bébé, Luis, commençait à hurler dès que les coqs poussaient leurs premiers cocoricos. Cela suscitait ordinairement une bordée de jurons lancés par l'oncle maternel de Charley, George, qui était un ivrogne et dormait d'ailleurs mal; la sœur de Charley, Lupe, répondait par des jurons de son cru et la matinée avait démarré. Chacun se mettait en mouvement aussitôt, ensommeillé, de mauvaise humeur. La grand-mère de Charley allumait le fourneau pour les tortillas; la mère de Charley s'occupait du bébé; l'autre frère de Charley, Ramon, tournait le bouton de la télévision et se plantait devant, tandis que le père de Charley se glissait discrètement hors de la maison jusqu'à ce que le petit déjeuner soit prêt – et sa sœur Rosita, l'air d'une souillon au corps épais dans sa chemise de nuit déchirée, s'agenouillait devant l'autel et priait d'une voix morne, demandant sans doute d'être pardonnée pour les nouveaux péchés qu'elle avait ajoutés à son total la veille au soir. C'était la même chose chaque matin et Charley Estancia en était horripilé. Il aurait voulu vivre seul, pour n'avoir pas à endurer la malice de Lupe et la stupidité de Ramon, les beuglements de Luis et le corps demi-nu de Rosita qu'elle lui baladait sous le nez, pour ne pas avoir à écouter les récriminations aiguës de sa mère et les réponses pleines d'excuses que son père lui faisait sur un ton abattu, pour ne plus être soumis aux imaginations séniles de sa grand-mère qui rêvait d'un temps où l'ancienne religion serait de nouveau à l'honneur. L'existence dans un musée vivant n'était pas très agréable et Charley détestait tout dans le pueblo : ses rues non pavées pleines de poussière, ses maisons basses en adobe, son mélange de vieilles coutumes abâtardies et de coutumes nouvelles déplaisantes – et, par-dessus tout, les hordes de touristes au visage pâle qui survenaient tous les ans aux mois de juillet et d'août pour regarder les habitants de San Miguel comme s'ils étaient des animaux dans un zoo.

Maintenant, au moins, Charley avait quelque chose pour détourner son esprit de ses ennuis. C'était l'homme venu des étoiles, Mirtin, là-bas dans la grotte près de l'arroyo.

Pendant qu'il accomplissait la morne routine de sa journée, Charley se raccrocha avec ferveur à l'émerveillement et la joie de savoir qu'un homme descendu des étoiles l'attendait là-bas. C'était bien ce que Marty Moquino avait dit : cette traînée de lumière n'était pas un météore mais une soucoupe volante qui avait explosé. Que dirait Marty Moquino s'il apprenait l'existence de Mirtin?

Charley Estancia était résolu à empêcher qu'il l'apprenne. Il ne pouvait pas faire confiance à Marty. Marty ne pensait qu'à Marty; il vendrait Mirtin au journal d'Albuquerque pour cent dollars et, le lendemain, il achèterait un billet de car pour Los Angeles et disparaîtrait. Charley n'avait pas l'intention de donner à Marty Moquino la moindre idée de qui pouvait vivre dans cette grotte voisine de l'arroyo.

De neuf heures à midi, ce matin-là, Charley demeura à l'école. Un vieil autobus rouillé arrivait au pueblo cinq jours par semaine, sauf pendant la saison de la moisson, et ramassait tous les enfants entre six et treize ans pour les emmener au grand bâtiment en brique qui était l'école gouvernementale pour les Indiens. L'école ne leur apprenait pas grand-chose. Charley pensait que c'était ça, l'idée : maintenir les Indiens stupides, les garder dans la réserve pour que les touristes viennent les contempler. Cela rapporte de l'argent à l'État. Là-haut à Taos, où ils avaient le plus grand et le plus curieux des pueblos, ils faisaient payer deux dollars rien que pour avoir le droit de venir sur place avec un appareil photo. Alors il n'y avait guère d'instruction dispensée à l'école du gouvernement – un peu de lecture, un peu d'écriture, un peu d'arithmétique. L'histoire qu'on enseignait était celle de l'homme blanc, George Washington et Abraham Lincoln. Pourquoi n'enseigne-t-on pas l'histoire du pueblo? se demandait Charley. Comment les Espagnols sont venus ici et nous ont transformés en esclaves. Comment nous nous sommes rebellés contre eux et comment le gros Espagnol, Vargas, a maté la rébellion. Peut-être qu'on ne veut pas mettre des idées dans nos joyeuses petites têtes.

Charley obtenait parfois les meilleures notes en classe. Parfois, il obtenait les pires. Tout dépendait de l'intérêt qu'il daignait y prendre, car les sujets étaient tous faciles. Il savait lire, il savait écrire, il savait calculer et plus que ça. Il avait appris tout seul l'algèbre avec un livre parce que l'algèbre permet de voir comment les choses sont reliées entre elles. Il avait étudié la géométrie, un peu. Il connaissait les étoiles. Il savait comment les fusées fonctionnent. Une femme qui enseignait à l'école pensait qu'il devrait devenir charpentier au pueblo. Charley avait d'autres idées. Il y avait un instituteur, rudement bon, Mr. Jamieson; il avait dit que Charley devrait aller au lycée d'ici deux ans, quand il aurait l'âge. Au lycée d'Albuquerque, les Indiens n'étaient pas séparés des autres. Si vous étiez capable d'apprendre, vous étiez autorisé à le faire, que vos cheveux soient ou non noirs et luisants. Mais Charley savait ce qui se passerait quand il parlerait du lycée à ses parents. Ils lui diraient d'être intelligent, d'apprendre le métier de charpentier, comme la femme l'avait dit. Marty Moquino était allé au lycée, lui diraient-ils, et à quoi cela lui avait-il servi? Il avait appris là-bas à fumer, à boire de l'alcool, à courir les filles. Avait-il besoin du lycée pour cela? Ils ne le laisseraient pas partir, Charley en était sûr, et cela signifiait qu'il serait probablement obligé de s'enfuir de chez lui.

A une heure de l'après-midi, il était de retour à San Miguel après sa matinée perdue à l'école. Dans l'après-midi, il avait différentes tâches selon l'époque de l'année. Le printemps était la période des semailles, bien sûr. Tous les enfants, toutes les femmes travaillaient dans les champs. En été, les touristes venaient. Charley était censé se tenir dans les parages avec un air engageant et les laisser le photographier en espérant qu'ils lui lanceraient une pièce de monnaie. A l'automne, on moissonnait les récoltes. En hiver, c'étaient les rites sacrés, qui commençaient ici en décembre avec la danse de la Société du Feu et qui continuaient avec tout le calendrier des fêtes jusqu'au printemps. Les festivals donnaient de l'occupation à tout le monde; il fallait que le pueblo soit nettoyé et orné de décorations aux couleurs vives, les hommes devaient repeindre leurs costumes, les femmes avaient à cuire une quantité de poteries pour les vendre. En principe, les rites étaient ce qui faisait venir les bonnes pluies de printemps, mais Charley savait que la seule chose qu'ils faisaient venir en réalité c'est les touristes d'hiver. Les Blancs ne se lassaient jamais d'assister aux curieux rites primitifs des autochtones. Ils débutaient leur saison au pays hopi, avec la danse du serpent à la fin de l'été, et ils continuaient leur tournée à travers le pays zuni et jusqu'ici dans les pueblos du Rio Grande.

La danse de la Société du Feu n'aurait lieu que dans quelques jours. Charley feignit de travailler pendant la moitié de l'après-midi. Ce faisant, il rassembla sans en avoir l'air une petite pile de tortillas froides, qu'il enveloppa dans une serviette brodée en prenant soin de n'être vu par personne. Quand la nuit qui tombait de bonne heure commença à descendre, il cacha les tortillas de l'autre côté du village, près de la vieille kiva abandonnée, où nul n'allait parce que de mauvais esprits étaient censés hanter ce coin-là. Il remplit d'eau claire à la fontaine un bidon en plastique et le dissimula près des tortillas. Puis il attendit l'obscurité complète. Il joua avec son chien, se querella avec sa sœur Lupe et potassa son livre sur les étoiles qu'il avait emprunté à la bibliothèque. Il regarda le prêtre tenter de rassembler quelques paroissiens pour la prière du soir. Il vit Marty Moquino saisir Rosita, l'entraîner derrière la boutique aux souvenirs et passer la main sous sa jupe. Il eut un dîner rapide qui le laissa sur sa faim, ponctué par le beuglement de la télévision et les chamailleries aigres de Lupe et de l'oncle George.

La nuit tomba enfin.

Tout le monde s'était remis au travail. Les hommes importants du pueblo donnaient leurs directives : le cacique, le chef à vie, se tenait près de l'échelle qui permettait de descendre dans la kiva, en train de parler à un prêtre de la Société du Feu, tandis que Jesus Aguilar, qui venait d'être élu gouverneur du village, se pavanait en lançant des ordres à la ronde. C'était le bon moment pour s'esquiver et aller retrouver Mirtin.

D'un air dégagé, Charley s'éloigna sans se presser jusqu'au bout de la rue bordée de maisons d'adobe carrées à un étage où il habitait, regarda dans toutes les directions, se précipita dans la vieille kiva pour récupérer les tortillas et le bidon, puis détala et s'engouffra dans les fourrés de broussailles qui bordaient le pueblo.

Il avançait par petits bonds rapides. Il se voyait sous l'aspect d'un adulte, filant comme le vent; mais ses jambes étaient si courtes qu'il lui fallait longtemps pour parcourir un bout de chemin – et il dut s'arrêter, haletant, alors qu'il se trouvait encore seulement à huit cents mètres du village. Il se reposa près de la sous-station électrique, en la contemplant avec admiration. La compagnie d'électricité l'avait construite deux ans auparavant, parce que tout le monde au pueblo de San Miguel avait maintenant la télévision et l'éclairage électrique, si bien que le village avait besoin d'une plus grande quantité d'électricité. Toutefois, la compagnie avait pris soin de l'installer bien à l'écart, pour qu'elle ne défigure pas le pueblo. Les touristes aiment à croire qu'ils voyagent dans le temps, en reculant jusqu'à l'an 1500 et quelque, quand ils visitent un pueblo. Les antennes de télévision et les automobiles n'avaient pas l'air de les gêner beaucoup, mais une sous-station électrique aurait dépassé la mesure. Elle était donc ici. Charley considéra les gros transformateurs et les isolateurs luisants, et songea rêveusement à la centrale électrique, quelque part au loin, où des atomes qui se désintégraient transformaient de la vapeur en électricité pour rendre le pueblo lumineux la nuit. Il souhaita que son école l'emmène un jour visiter l'usine électrique.

Ayant repris son souffle, il recommença à courir. A présent, il avançait sans effort, serpentant au milieu des touffes de sauge et de yuccas, dégringolant la pente de la berge du premier arroyo et grimpant de l'autre côté, filant comme une flèche à travers la vaste plaine jusqu'à ce qu'il arrive au second arroyo, le grand, avec la falaise sur l'autre rive et l'homme venu des étoiles couché dans la grotte de la falaise. Charley marqua un temps d'arrêt au bord du ravin profond.

Il regarda en l'air. La nuit était noire encore une fois; la lune nouvelle n'apparaîtrait que le soir de la danse de la Société du Feu. Les étoiles étaient extraordinairement nettes et brillantes. Charley repéra tout de suite Orion et ses yeux se fixèrent sur l'étoile à l'extrêmité est du Baudrier. Il ne connaissait pas son nom, bien qu'il l'eût cherché dans son livre, mais elle semblait la plus belle étoile qu'il avait jamais vue. Un frisson de crainte révérentielle lui parcourut l'échine. Il songea à de grandes planètes tournant autour de cette étoile, à d'étranges cités, à des créatures qui n'étaient pas des hommes filant de-ci de-là dans des jets et des fusées. Il essaya d'imaginer à quoi les villes de cet autre monde pouvaient ressembler, puis il sentit l'ironie de cette pensée et son nez se plissa dans une grimace d'amusement amer. Pourquoi s'occuper des étoiles? Que savait-il des villes de son propre monde? Pouvait-il imaginer Los Angeles, Chicago et New York, sans parler de la ville de Mirtin? Il n'était jamais allé nulle part.

Avec une soudaine énergie frénétique, il fonça vers le fond de l'arroyo et remonta de l'autre côté, puis traversa le petit plateau en direction de la falaise. Il entra dans la grotte. Elle n'avait pas plus de trois mètres soixante de haut et peut-être six mètres de profondeur. Ses yeux s'accoutumèrent à la pénombre et il vit Mirtin couché où il l'avait laissé, sur le dos, bras et jambes soigneusement allongés. L'homme des étoiles n'avait pas bougé. Ses yeux étaient ouverts et ils luisaient à la faible clarté stellaire qui pénétrait dans la grotte.

« Mirtin? Ça va, Mirtin? Vous n'êtes pas mort?
– Salut, Charley. »

Les jambes molles de soulagement, Charley s'agenouilla près du blessé. « Je vous ai apporté du manger, de l'eau. Comment vous sentez-vous, hein? Je suis venu dès que j'ai pu m'esquiver.

– Je suis beaucoup mieux. Je sens que l'os est en train de guérir. J'aurai peut-être repris des forces plus tôt que je ne le pensais.

– Tenez. Tenez. J'ai des tortillas pour vous. Elles sont froides, mais elles sont bonnes.

– L'eau d'abord.

– Sûr, dit Charley. Excusez-moi. »

Il dévissa le bouchon du bidon et le porta aux lèvres de Mirtin. L'eau coula lentement en petit filet dans la bouche de l'homme des étoiles. Quand Charley pensa que Mirtin avait eu assez d'eau, il écarta le bidon, mais Mirtin en redemanda. Charley le regarda avec surprise vider tout le bidon. Quelle quantité il buvait! Avec quelle rapidité!

« Maintenant les tortillas?

– Oui. Maintenant. »

Charley nourrit Mirtin avec application. Aucune portion du corps de Mirtin ne bougeait à l'exception de sa mâchoire inférieure qui claquait gnac gnac gnac, mordant sans discontinuer. Mirtin engloutit cinq tortillas avant d'indiquer qu'il n'en voulait plus pour le moment.

Il dit : « De quoi sont-elles faites?

– De farine de maïs. Vous connaissez le maïs? La plante que nous cultivons.

– Oui. Je connais.

– Nous la moulons, nous la cuisons sur une pierre brûlante. Exactement comme autrefois. Nous faisons beaucoup de choses comme on les faisait autrefois.

– Tu as l'air d'en être fâché, observa Mirtin.

– Pourquoi pas? Quelle année est-ce aujourd'hui, 1982 ou 1492? Pourquoi ne pouvons-nous pas être civilisés comme les autres? Pourquoi devons-nous faire tout à la manière de l'ancien temps?

– Qui vous oblige à faire les choses de cette façon, Charley?

– Les Blancs! »

Mirtin fronça les sourcils. « Tu veux dire qu'ils vous forcent à utiliser des méthodes anciennes? Ils promulguent des lois pour l'imposer?

– Non, non, pas ça. » Charley chercha ses mots pour bien exprimer son idée. « Ils nous laissent agir comme bon nous semble pour autant que nous restons paisibles. Nous pouvons élire notre propre gouverneur pour le pueblo, nos agents de police, tout. Si nous en avions envie, nous pourrions démolir le pueblo et en construire un autre avec du plastique. Mais il n'y aurait plus de touristes. Plus d'appareils photos. Voyez-vous, nous sommes un *musée*. Nous sommes les drôles de gens de l'ancien temps. Vous me suivez?

– Oui, je pense, murmura Mirtin. Conservation volontaire d'usages archaïques.

– D'usages quoi?

– Démodés.

– C'est ça. Nous l'avons voté nous-mêmes, le peuple. Il faut que nous donnions un bon spectacle aux touristes. Ils apportent l'argent. Nous n'avons pas d'argent chez nous. Un petit nombre des nôtres, ils ont quitté le pueblo, ils exploitent des magasins à Albuquerque, ou des choses comme ça, mais pour la plupart nous sommes pauvres, nous avons besoin de l'argent que les touristes apportent. Nous dansons pour eux, nous nous peignons la figure, nous faisons tout à la façon antique. Mais c'est de la frime, parce que nous avons oublié ce que cela signifiait. Nous avons les sociétés secrètes, seulement nous ne nous rappelons plus les formules d'initiation alors nous en avons inventé de nouvelles. De la frime! De la frime! » Charley tremblait de colère. « Vous voulez une autre tortilla, peut-être bien?

– Oui. S'il te plaît. »

Avec satisfaction, Charley regarda manger l'homme des étoiles paralysé.

Il reprit : « Nous devrions avoir des réfrigérateurs, du chauffage, des trottoirs, de vraies maisons, des routes, tout quoi. Au lieu de ça, nous vivons dans la crotte. Nous avons des télévisions et des voitures, pas plus. Le reste comme en l'an 1500. Voilà ce qu'on a voté. Ça m'écœure.

Vous savez ce que je veux, Mirtin? Je veux ficher le camp. Aller à Los Angeles pour apprendre à construire des fusées. Ou être un astronaute. Je connais des tas de choses. Et je pourrais en apprendre encore bien plus.

– Mais tu es trop jeune pour partir de chez toi?

– Oui, onze ans! Bon Dieu, à cet âge-là qu'est-ce qu'on peut faire? Je pars de chez moi, on m'arrête aussitôt. On n'apprend pas l'électronique à la maison de correction. Je suis bloqué ici. » Il ramassa une poignée de terre froide sur le sol de la grotte et la lança contre la paroi du fond. « Écoutez, reprit Charley, je n'ai pas envie de parler de mon petit village de terre. Racontez-moi comment il est, votre monde, voulez-vous? Racontez-moi tout! »

Mirtin rit. « C'est beaucoup demander. Par où devrais-je commencer? »

Après avoir médité un instant, Charley répliqua : « Vous avez de grandes villes, là-bas?

– Oui, très grandes.

– Plus grandes que New York? que L.A.?

– Quelques-unes.

– Vous avez des avions à réaction?

– Quelque chose qui y ressemble, dit Mirtin. On utilise... – il gloussa de rire – ... on utilise des générateurs à fusion. Tu en as vu un exploser dans le ciel, tu te rappelles?

– Oh. Oui. Quel idiot que je suis! Les soucoupes volantes! Qu'est-ce qui les fait avancer? Quelque chose comme l'énergie solaire?

– Oui, dit Mirtin. Un petit générateur à fusion qui crée un plasma que nous logeons dans un champ magnétique puissant. Ce qui est arrivé à notre vaisseau, c'est que le champ magnétique s'est affaibli.

– Oh, oh! *Boum!*

– Un très gros boum. Mais voilà comment nous voyageons, dans des vaisseaux plats et ronds. Que vous appelez des soucoupes volantes.

– A quelle vitesse vont-elles? demanda Charley. Huit mille kilomètres à l'heure?

– Plus ou moins », répliqua Mirtin, littéralement mais évasivement.

Charley prit cela pour une affirmation. « Alors vous

pouvez aller d'ici à New York en une heure, hein? Et sur votre planète vous déplacer tout aussi vite. Combien êtes-vous sur votre planète?»

Mirtin rit. «Je ne devrais pas te donner tous ces renseignements. C'est – comment dit-on? – confidentiel. Secret d'État.

– Allez! Je ne le raconterai pas aux journaux!

– Eh bien...»

Charley balança une tortilla au-dessus des lèvres de l'homme des étoiles. «Vous en voulez une autre ou non?»

Mirtin soupira. Ses yeux pétillèrent dans l'ombre. «Nous sommes huit milliards, déclara-t-il. Notre monde est un peu plus grand que le vôtre, bien que la pesanteur soit sensiblement la même. Et aussi nous ne prenons pas autant de place que vous. Nous sommes tout petits. Je vais manger cette tortilla, maintenant.»

Charley la lui donna. Pendant que Mirtin mâchait, Charley médita sa dernière phrase.

«Si j'ai bien compris, vous ne nous ressemblez pas, en réalité?

– Non.

– C'est vrai, vous avez dit que vous étiez différent en dedans. Mais je m'imaginais que vous aviez des os d'une autre forme, peut-être le cœur et l'estomac dans un autre endroit. Vous êtes plus différent que ça?

– Beaucoup plus, répliqua Mirtin.

– Différent comment? Dites-moi de quoi vous avez l'air sans le déguisement.

– Petits, quatre-vingt dix centimètres de long, je pense. Nous n'avons pas d'ossature du tout, seulement un renfort de cartilage. Nous...» Mirtin s'interrompit. «Je préférerais ne pas me décrire, Charley.

– Vous voulez dire que maintenant, à l'intérieur de vous, à l'intérieur de ce que je vois, vous avez une chose comme ça? Pas plus gros qu'un bébé, tout roulé en boule dans vous? C'est ça?

– C'est ça», convint Mirtin.

Charley se redressa et marcha jusqu'à l'entrée de la grotte. Il se sentait bouleversé par cette idée et il ne s'expliquait pas pourquoi. Dans la courte période écoulée depuis qu'il connaissait Mirtin, il en était venu à penser à l'homme des étoiles simplement comme à cela, un homme, quelqu'un qui était né sur une autre planète à la façon dont certaines gens sont nées dans d'autres pays, mais pas trop différent, vraiment. Plus intelligent qu'un Terrien, mais pas différent à ce point-là sauf pour l'arrangement intérieur de son corps. Mais Mirtin semblait être une sorte de gros ver, finalement. Ou pire. Il ne s'était pas décrit, au fond. Charley leva les yeux vers les trois étoiles brillantes et il eut l'impression de comprendre pour la première fois à quelle chose étrangère il avait porté secours.

« Je mangerais bien une autre tortilla, dit Mirtin.

– C'est la dernière. Je ne pensais pas que vous auriez aussi faim, comme vous étiez blessé et tout ça.

– Tu serais surpris. »

Charley lui fit manger la tortilla. Puis ils parlèrent encore un peu. Ils parlèrent de la planète de Mirtin, dont le nom était Dirna, ils parlèrent des observateurs et de la raison pour laquelle ils observaient la Terre, ils parlèrent d'étoiles, de planètes et de soucoupes volantes. Quand Mirtin fut fatigué d'en parler, la conversation changea et ils parlèrent de San Miguel. Charley essaya de montrer ce que c'était que de grandir dans un village qui conservait des us et coutumes préhistoriques. Les mots jaillissaient à flots de sa bouche tandis qu'il s'efforçait d'exprimer la frustration qu'il éprouvait, qu'il s'efforçait de communiquer le bouillonnement d'impatience en lui, la soif d'apprendre, de connaître, de voir, d'entreprendre.

Mirtin écoutait. C'est un bon auditeur, qui savait quand garder le silence et quand poser une question. Il parut comprendre. Il dit à Charley de ne pas se tracasser, de continuer simplement à regarder les choses et à poser des questions, et le temps viendrait où il quitterait San Miguel pour entrer dans le monde réel. C'était encourageant. Charley dévisagea le petit homme au regard amical et à la frange de cheveux gris – et il lui fut impossible d'accepter le fait que Mirtin était quelque chose de caoutchouteux, dépourvu d'os, là-dessous. Mirtin semblait si humain, si bon. Comme un médecin ou un instituteur, à part qu'il n'était pas distrait ni distant, comme l'étaient les médecins et les instituteurs que Charley connaissait. Le seul qui avait jamais parlé de cette façon à Charley était le bon maître, Mr. Jamieson; et il y avait des fois où Mr. Jamieson oubliait le nom de Charley et l'appelait Juan ou Jesus ou Felipe. Mirtin n'oublierait jamais mon nom, se dit Charley.

Au bout d'un moment, il conclut qu'il devait être en train d'épuiser complètement l'homme des étoiles. Et il ne pouvait pas prendre le risque de rester longtemps absent du pueblo. « Il faut que je m'en aille maintenant, dit-il. Je reviendrai demain soir après la tombée de la nuit. J'apporterai d'autres tortillas, une quantité. Et nous pourrons parler encore. D'accord, Mirtin?

– Cela me paraît parfait, Charley.

– Vous êtes sûr que vous êtes bien? Vous n'avez pas trop froid ou je ne sais quoi?

– Je suis très confortablement installé, lui assura Mirtin. J'ai simplement besoin de demeurer couché ici jusqu'à ce que je guérisse. Et si tu viens me rejoindre, en apportant des tortillas et de l'eau, et que nous bavardions un peu tous les soirs, je pense que je guérirai beaucoup plus vite. »

Charley sourit. « Je vous aime bien, vous savez. Vous êtes pour ainsi dire un ami. Ce n'est pas facile, de trouver des amis. A bientôt, Mirtin. Attention à vous, hein. »

Il sortit à reculons de la grotte, pivota sur lui-même d'un mouvement vif et repartit en courant à perdre haleine vers le pueblo, sautant et gambadant de joie. La tête lui tournait d'avoir bavardé de cet autre monde et de sa superscience, mais il vibrait plus encore d'excitation d'avoir été assis là-bas à parler, vraiment parler, à l'homme descendu des étoiles. Charley avait chaud de la tête aux pieds en dépit du froid de décembre qui était dans l'air. Cette chaleur venait tout droit de Mirtin. Il ne me fait pas simplement la conversation parce qu'il a besoin de moi pour lui apporter à manger, songea Charley. Il a de la sympathie pour moi. Il aime discuter avec moi. Et il peut m'apprendre des choses.

La joie précipitait le mouvement des jambes de Charley. Il approcha du pueblo en un rien de temps. Il se trouvait maintenant à la hauteur de la sous-station électrique et il courait la tête en l'air, les yeux fixés sur le gros câble à haute tension qui arrivait en plongeant depuis le pylône planté de l'autre côté de l'arroyo. Il ne prenait pas la peine de regarder où il allait et c'est ainsi qu'il trébucha sur le couple en train de faire l'amour près de la clôture en fil de fer de la sous-station.

Étant donné la fraîcheur de la nuit, tous deux étaient entièrement vêtus, mais il n'y avait aucun doute à avoir sur ce qu'ils faisaient. Charley était au courant des réalités de l'existence; il ne tenait pas à épier les gens et il tenait moins encore à être vu revenant de la direction de l'arroyo. Quand il buta contre la jambe étendue, par conséquent, il eut un hoquet de surprise, battit des bras pour retrouver son équilibre et s'efforça de filer vivement sans qu'on le remarque.

La jeune femme lui cria quelque chose d'ordurier. L'homme, roulant sur lui-même, lui montra le poing avec un air furieux. Dans l'unique instant où il aperçut d'eux une brève image nette, Charley remarqua que la jeune femme était Maria Aguilar, la meilleure amie de sa sœur Rosita, et que l'homme était Marty Moquino. Il était navré d'avoir interrompu leurs ébats, mais il l'était bien davantage d'avoir lui-même été vu par la seule personne qui pouvait vraiment lui créer des ennuis. La peur traversa comme une flèche le corps mince de Charley Estancia, qui repartit en courant vers le village, l'esprit inquiet.

IX

LE signal de détresse envoyé par le vaisseau dirnan en perdition dans les instants qui précédèrent sa destruction avait été reçu dans un millier d'endroits à la fois. Tous les vaisseaux dirnans en mission d'observation au-dessus de la Terre avaient capté le signal, car le système de communication dirnan à bande large n'était pas handicapé par des problèmes de ligne visuelle ni n'avait besoin d'écho ionosphérique – et il se répandait dans toute cette région de l'espace à la vitesse de la lumière. Les vingt observateurs au-dessus de la Chine furent informés du destin fatal du vaisseau. De même les dix-huit vaisseaux d'observation patrouillant dans régulièrement les cieux au-dessus de l'Union soviétique, les dix-neuf autres placés sur des orbites diverses au-dessus de l'Amérique du Nord, et les groupes isolés d'observateurs surveillant l'Inde, le Brésil, la Fédération Africaine, l'Antarctique, le Japon et d'autres nœuds de haute technologie à travers le monde. Au total, près de quatre cents vaisseaux de surveillance dirnans étaient de service dans les niveaux atmosphériques et tous furent au courant de la catastrophe dès les premiers moments.

Quand le signal se propagea, il fut repéré par les quatre vaisseaux stationnés en permanence autour de la lune de la Terre. Il atteignit les vaisseaux itinérants qui inspectaient régulièrement les satellites spatiaux artificiels des nations terrestres pour s'assurer qu'aucune arme mortelle n'avait été mise en orbite. Il fit résonner les détecteurs des vaisseaux dirnans postés dans le voisinage de Mars et de Vénus. Il éveilla l'attention à la base dirnane de Ganymède – la lune de Jupiter grosse comme une usine, où quelque quatre-vingt dix vaisseaux d'observation étaient garés pendant que leurs équipages prenaient les vacances qui leur avaient été accordées. Il fut remarqué par la cinquantaine de vaisseaux de relève dirnans partis de Ganymède pour se rendre à d'autres postes des systèmes planétaires, présentement occupés par des équipages s'apprêtant à aller en vacances. De minute en minute, l'onde gagnait les vaisseaux qui campaient ordinairement sur l'orbite de Neptune et aussi loin que Pluton. A la fin – la fin d'un laps de temps considérable – ce signal impérissable se propagerait jusqu'à la planète mère elle-même.

D'autres apprirent le sort du vaisseau de Mirtin-Vorneen-Glair et c'étaient certains représentants de la race antagoniste, les Kranazoïs, qui étaient capables de se brancher secrètement sur la longueur d'onde d'un signal de détresse dirnan. Mais, dans le cas présent, le quartier général kranazoï n'avait pas besoin de capter le signal, puisqu'il recevait un rapport complet sur l'explosion envoyé par un de leurs vaisseaux qui se trouvait par hasard dans le voisinage.

Et le signal de détresse éveilla aussi un écho dans les récepteurs du quartier général dirnan sur Terre.

En principe, il n'aurait pas dû y avoir de quartier général dirnan sur Terre. Dirnan et Kranaz avaient signé des accords réglementant les contacts admissibles entre les deux races galactiques et les habitants de la Terre – et l'une des choses prohibées était n'importe quelle forme d'atterrissage de personnel dirnan ou kranazoï sur la planète – pour ne rien dire d'une présence permanente là-bas. Mais les accords se révèlent quelquefois contraires à la sécurité dans son ensemble; et les Dirnans avaient jugé nécessaire, pour leur protection, de poster une poignée d'agents sur la surface de la Terre. Le poste était bien caché, plus pour éviter d'attirer l'attention des Kranazoïs que pour éviter d'attirer celle des Terriens. Ces derniers se montreraient seulement sceptiques s'ils découvraient que des êtres d'un autre monde vivaient parmi eux; les Kranazoïs, par contre, seraient furieux, peut-être au point de déclarer la guerre.

Au poste secret dirnan, une infinité de messages

déferla, quelques instants après réception du signal de détresse. Tous les vaisseaux du système s'étaient mis aussitôt à parler sur les ondes en même temps, commentant, questionnant, informant. Pendant plusieurs minutes, le réseau de communications entier fut paralysé par un blocage général de toutes les longueurs d'ondes. Puis le poste de commandement sur Terre parvint à s'imposer, à faire taire le brouhaha et à indiquer à chacun qu'il était au courant de la situation et décidé à s'en occuper. Les vaisseaux en orbite continuèrent à discuter de l'accident, mais ils cessèrent de harceler la base terrestre à son sujet.

Dans le poste de commandement, des maîtres ordinateurs calculaient les vecteurs d'atterrissage possibles pour l'équipage.

« Il y a eu des survivants, annonça un agent. Nous avons repéré des traces de l'éjection.

– Est-ce qu'ils s'en sont sortis tous les trois?

– Oui. Ou, du moins, ils ont quitté le vaisseau.

– J'ai connu Glair sur Ganymède. C'est une femme remarquable.

– Les trois sont remarquables. Ou *l'étaient.*

– Ils sont vivants. Nous les retrouverons.

– Les repérages donnent-ils déjà des indications?

– Les trois sont descendus dans le Nouveau-Mexique. Mais ils ont endommagé leurs communicateurs.

– Comment cela a-t-il pu arriver?

– Ils sont tombés d'une altitude exceptionnellement élevée, pour éviter des ennuis au moment de l'explosion du générateur. Ils ont dû subir un impact violent. Nous recevons de l'un d'eux des signaux brouillés, mais nous sommes incapables de faire une triangulation précise. Les deux autres ne nous parviennent même pas.

– Ils sont morts.

– N'en sois pas si sûr. Blessés, peut-être. Mais pas morts. Ces corps que nous avons sont vraiment robustes.

– Assez robustes pour survivre à un accident qui peut briser un communicateur?

– Les communicateurs n'ont pas une grande élasticité. La chair et les os en ont. J'affirme qu'ils sont vivants.

– En tout cas, vivants ou morts, il faut que nous les localisions.

– Très juste. Si l'un d'eux est autopsié...
– Espèce d'entêté arrogant, ils ne sont pas morts! Sors-toi donc cette idée-là du crâne!
– D'accord, blessés alors. Si cela doit te réconforter. Blessés et transportés dans un hôpital pour être radiographiés. Cela causera autant d'ennuis que s'ils sont autopsiés. Qu'est-ce qui se passe? Pourquoi n'arrives-tu pas à admettre qu'ils ont peut-être été tués?
– La vérité, c'est qu'il en pince pour Vorneen.
– Ma foi, qui n'en pince pas? Écoutez: combien d'agents pouvons-nous envoyer au Nouveau-Mexique cette semaine?
– Une douzaine, s'il le faut.
– Envoyez-les, alors. La couverture, c'est qu'ils enquêtent sur le prétendu météore géant. Quelques-uns d'entre eux se feront passer pour des scientifiques qui cherchent les débris. Et pour des reporters qui interrogent les personnes ayant vu la boule de feu. Ratissez l'État. Ici, nous continuerons à interroger l'ordinateur, en raffinant les vecteurs d'atterrissage à mesure que nous aurons une notion plus nette de la trajectoire exacte du vaisseau avant son explosion.
– Tu sais où nous pouvons trouver les meilleurs points de trajectoire?
– Où ça?
– A l'Armée de l'Air des États-Unis. Je parie que le C.E.O.A. a tout enregistré.
– Bonne idée. Téléphone tout de suite à notre homme du C.E.O.A. et dis-lui de consulter les banques de données.
– Le C.E.O.A. est probablement aussi en train de chercher l'épave du vaisseau en ce moment.
– Mais il n'est pas au courant pour les membres de l'équipage. Nous les trouverons avant.
– Ça va être difficile. Quel est ce proverbe terrien? Une aiguille dans une meule de fumée?
– De foin.
– Oui. Une meule de foin. Où sont les nouveaux vecteurs. Que ce type se secoue!
– Tu es sûr qu'ils sont en vie?
– J'en suis certain. »

X

VORNEEN paraît dormir maintenant, songea Kathryn. Elle n'aurait pas pu l'affirmer, toutefois. Depuis quatre jours qu'elle l'abritait dans sa maison, la seule certitude qu'elle avait acquise à son sujet était qu'elle ne pouvait être sûre de rien en ce qui le concernait.

Kathryn était debout près du lit et l'observait. Yeux clos. Pas de mouvements des globes oculaires sous les paupières. Respiration lente, profonde, régulière. Tous les symptômes du sommeil. Mais elle avait parfois l'impression qu'il feignait seulement de dormir parce qu'elle attendait de lui qu'il dorme. A d'autres moments, il s'endormait d'une façon fantastique, se déconnectant manifestement comme s'il était une machine, *clic*! Dans l'un ou l'autre cas, l'effet n'avait rien d'humain.

Kathryn était maintenant convaincue qu'elle hébergeait un être d'un autre monde.

Le concept était si insolite qu'il fallait du temps pour l'assimiler. Elle avait joué plus ou moins avec cette idée dès le premier soir, quand elle s'était avisée que le météore était une soucoupe volante et que cet homme en était peut-être bien tombé. Les indications à l'appui de cette hypothèse étaient impressionnantes, depuis le début. Et elles s'étaient multipliées, jour après jour, à mesure que Kathryn observait Vorneen attentivement.

La teinte orange de son sang. L'étrange combinaison spatiale dans le placard de Kathryn. Les outils curieux qui en étaient sortis, tel le petit appareil ressemblant à une torche électrique qui était un rayon désintégrateur.

Le grain lisse et la fraîcheur de sa peau. Les mots incompréhensibles qu'il avait prononcés dans son délire. Un délire sans fièvre. La singulière fracture de sa jambe qui avait été si facile à réduire. La curieuse légèreté de son corps, qui pesait 20 ou 25 kilos de moins que ne devrait peser un homme de sa taille.

Comment pouvait-elle feindre de croire que tout cela n'était que simples bizarreries?

En quatre jours, il ne s'était absolument pas servi du bassin. Il l'avait glissé discrètement, vide, sous le lit où le bassin se trouvait toujours. Elle y jetait un coup d'œil de temps en temps quand Vorneen semblait dormir. Comment quelqu'un pouvait-il rester quatre jours sans évacuer de selles ou uriner? Il mangeait régulièrement, il buvait beaucoup d'eau, pourtant ni il n'excrétait ni il ne transpirait. Kathryn pouvait passer sur pas mal de drôles de détails concernant Vorneen, mais pas là-dessus. Où allaient les déchets? Quel genre de métabolisme avait-il? Elle n'était pas par nature femme à spéculer beaucoup sur d'autres mondes, d'autres formes de vie; ces notions-là ne faisaient tout bonnement pas partie de son bagage intellectuel. Mais c'était difficile à présent d'esquiver la conclusion que Vorneen venait de très loin.

Même le nom – Vorneen. Quelle espèce de nom était-ce? Il l'avait donné, presque timidement, le second jour et elle avait froncé les sourcils, elle lui avait demandé de l'épeler – et il avait hésité un peu en l'épelant comme s'il était habitué à y penser non en termes d'alphabet mais seulement en termes de sons. *Vorneen.* Était-ce son prénom, son nom de famille ou l'unique nom qu'il avait? Elle ne le savait pas. Elle avait peur de poser trop de questions. Il lui dirait ce qu'il voudrait lui dire quand il serait prêt à le faire et elle devrait en être reconnaissante.

Elle l'examina pendant qu'il dormait.

Il paraissait bien paisible. Il n'avait pas quitté le lit depuis qu'elle l'y avait déposé, le premier soir. Kathryn dormait sur le sofa, mal, en dépit de la suggestion plutôt brutale de Vorneen qu'elle partage le lit avec lui. « Il est assez grand pour deux, n'est-ce pas? » avait-il dit. Oui, il l'était. Elle s'était demandé si Vorneen faisait comme s'il ignorait la signification du partage d'un même lit par un homme et une femme ou si, parce qu'il n'était pas un homme, il ne s'était pas avisé que le fait pouvait avoir un sens quelconque. Peut-être ne réfléchissait-il pas en fonction de la sexualité.

Elle s'était détournée, rougissante comme une vierge godiche, quand il avait suggéré qu'elle partage le lit avec lui. Elle était déconcertée par sa propre réaction. Il y avait un an à présent qu'elle était veuve et elle ne devait rien à la mémoire de Ted. Elle pouvait coucher où elle en avait envie, exactement comme elle l'avait fait quand elle avait dix-neuf ans et était célibataire. Or voilà qu'elle se montrait mystérieusement prude, tout d'un coup. Pendant ses mois de deuil, se lier avec un homme avait été impensable; elle s'était retirée du monde presque complètement, faisant un chaud petit nid ici pour elle-même et Jill dans cette maison, s'aventurant rarement plus loin que le centre commercial du quartier, mais elle se disait depuis l'été que c'était temps d'en émerger et de trouver un nouveau père pour Jill. D'accord, cet homme qui était tombé des nues ne pouvait guère être le candidat adéquat pour cette responsabilité mais néanmoins aucune raison ne lui interdisait de se rapprocher de lui ou même de faire l'amour avec lui si les inclinations de cet homme allaient dans ce sens et si sa jambe cassée autorisait ce genre d'exercice actif. D'ailleurs la jambe semblait guérir avec une rapidité fantastique; elle l'avait bandée, l'œdème avait diminué et Vorneen ne donnait plus signe d'en souffrir.

Pourquoi, alors, s'écarter du lit avec une telle réserve virginale?

Kathryn pensa savoir pourquoi. Ce n'était pas parce qu'elle avait peur de coucher avec Vorneen. C'est parce qu'elle était effrayée par l'intensité de son propre désir. Quelque chose dans cet homme svelte, pâle, d'une invraisemblable beauté, l'attirait physiquement. Et cela dès le premier instant. Kathryn ne croyait pas à l'amour coup de foudre, mais le désir coup de foudre était une tout autre histoire et elle en était la proie. Elle reculait, terrifiée par la force de ce qu'elle ressentait pour Vorneen. Si elle laissait s'abaisser la barrière entre elle et lui, même un peu, n'importe quoi pouvait arriver.

N'importe quoi.

Elle devait d'abord en savoir plus long sur lui.

Elle rajusta son couvre-pieds et prit le bloc-notes qui se trouvait sur la table de nuit. *Je reviens dans deux heures,* écrivit-elle. *Je vais faire des courses dans Albuquerque. Ne vous inquiétez pas. K.* Elle épingla le billet à l'oreiller inutilisé à côté de lui sur le lit double, puis sortit de la pièce sur la pointe des pieds et alla dans la salle de jeux de sa fille. L'enfant faisait quelque chose de sinistre en forme de cordage avec la pâte à modeler que Kathryn lui avait achetée et cette chose se tortillait comme une pieuvre. Ou comme un Martien, s'il existait des Martiens. Kathryn voyait des êtres d'un autre monde partout.

« Regarde, maman, c'est un serpent! s'écria Jill.

– Les serpents n'ont pas de pattes, chérie, dit Kathryn. Mais c'est superbe quand même. Viens, que je t'enfile ton manteau.

– Où allons-nous?

– Il faut que je me rende en ville. Tu iras jouer chez Mrs. Webster pendant un petit moment, d'accord? »

Sans récriminer, Jill laissa Kathryn lui mettre son manteau. Elle avait l'aisance d'adaptation des enfants de trois ans aux changements dans le milieu et les circonstances. Elle se rappelait encore son père mort, mais seulement d'une façon vague, se souvenant du fait qu'elle avait eu quelqu'un appelé « papa » plus que de quelque chose de précis à son sujet; si Ted franchissait maintenant le seuil, Jill ne le reconnaîtrait probablement pas. Le chaton égaré s'effaçait de sa mémoire de la même façon, en un temps bien plus court. Quant à l'arrivée subite et inexplicable de Vorneen dans la maison, Jill ne paraissait pas s'en tracasser du tout. Elle l'avait acceptée en tant que phénomène de l'univers, comme le coucher du soleil ou le passage du facteur. Astucieusement, Kathryn n'avait pas défendu à Jill de parler de Vorneen à d'autres personnes, car alors la petite le ferait sûrement. Pour Jill, Vorneen était un visiteur, quelqu'un qui séjournait dans la famille et, après le second jour, elle avait perdu apparemment toute curiosité pour l'homme couché dans le lit.

Kathryn prit Jill dans ses bras et l'emporta de l'autre côté de la rue chez une voisine avec qui elle entretenait une vague amitié distante. La voisine avait quatre enfants de moins de dix ans, et un en supplément ne semblait jamais de trop pour elle. « Pouvez-vous garder Jill jusque vers 5 heures? demanda Kathryn. Il faut que j'aille en ville. » C'était aussi simple que ça. Jill agita solennellement la main pour lui dire au revoir.

Cinq minutes plus tard, Kathryn était sur la route, roulant vers Albuquerque à cent trente à l'heure. L'excellent moteur silencieux de sa voiture, alimenté par des accumulateurs vibrait de puissance. Une fois dépassé Bernalillo, Kathryn s'engagea comme une flèche sur l'autoroute et fila à travers la banlieue d'Albuquerque. A cette heure, la circulation était fluide. Le ciel d'hiver était parsemé de nuages gris et la haute ligne des gratte-ciel devant elle semblait floue. Peut-être que de la neige tomberait aujourd'hui. Mais il y avait en ville des gens qui pouvaient la renseigner sur les soucoupes volantes et c'était un bon jour pour leur parler.

Quand elle eut garé la voiture dans le vaste parking municipal sous le boulevard du Rio-Grande, Kathryn partit à pied vers l'est en direction de la Vieille Ville. L'annuaire du téléphone donnait au bureau du Culte du Contact une adresse dans la rue Romero. Évidemment, il ne s'appelait pas Culte du Contact; c'est le nom que lui donnaient les journaux et Kathryn devinait que les sectateurs n'aimaient pas être pris pour des sectateurs. Le nom officiel du groupe était « Société pour la Fraternité des Mondes ». Kathryn l'avait trouvé inscrit sur l'annuaire sous la rubrique « Organisations religieuses ».

Une plaque de bronze brillante fixée sur la façade d'un vieil immeuble délabré identifiait le bureau régional – l'église? – de la Société pour la Fraternité des Mondes. Kathryn se retint au moment d'y pénétrer. Ses joues s'enflammèrent soudain comme elle se rappelait les commentaires acides de Ted sur cette organisation, avec son appareil de pompe mystique, ses séances à Stonehenge et à la Mesa Verde [1], son pieux mélange de rituel

1. La *Mesa Verde* (en Amérique), *Stonehenge* (en Angleterre) sont deux hauts lieux de la préhistoire où subsistent des vestiges de cromlech (cercle de pierres sacrées). *Stonehenge,* dans la plaine de Salisbury (Wiltshire) est la station la plus célèbre avec sa double rangée de

antique et de dispositifs scientifiques modernes. Ted avait dit à peu de chose près que la moitié des membres du Culte du Contact étaient des escrocs et l'autre moitié des gogos volontaires, et que Frederic Storm, le chef, était le plus grand escroc de tous. Kathryn secoua son hésitation. Les opinions de Ted n'avaient plus d'importance à présent. Elle n'était pas venue pour adhérer au Culte, simplement pour essayer de trouver des renseignements.

Elle entra.

L'intérieur richement décoré contrastait avec la façade miteuse. Kathryn se retrouva dans une petite antichambre au plafond haut en forme de voûte, qui était vide à part deux fauteuils élégants et une réplique en bronze luisant de la statue qui était la marque du Culte du Contact, une femme nue, les yeux clos, les bras ouverts tendus dans un geste d'accueil vers les étoiles. Kathryn avait toujours trouvé cet emblème prodigieusement idiot mais, maintenant, elle constatait avec gêne qu'elle n'en était plus aussi certaine. Sur trois côtés de la pièce, de somptueuses portes en acajou menaient à des bureaux intérieurs.

Elle était observée, elle le savait. Un moment passa, puis une des portes s'ouvrit. Une femme d'une quarantaine d'années en sortit, arborant un bref sourire professionnel. Ses cheveux étaient sévèrement tirés en arrière de son front; ses vêtements étaient d'une élégance austère; elle portait, piquée à son col, une soucoupe volante stylisée, le petit emblème qui servait de signe d'identification du Culte du Contact.

« Bon après-midi. Puis-je vous être utile?

– Ah... oui, dit Kathryn d'une voix hésitante. J'aimerais... avoir des renseignements.

– Voulez-vous venir par ici? »

Elle se retrouva convoyée avec autorité dans une pièce qui aurait ravi un directeur de banque. La femme sévère

menhirs (pierres levées monolithes de 5 m de haut) et une allée de trilithes (2 monolithes dressés soutenant un 3e couché), disposés selon un plan circulaire de 300 mètres de diamètre autour d'une dalle, probables vestiges d'un lieu de culte celtique datant, suppose-t-on, de l'Age du Bronze. *(N.d.T.)*

et efficace prit place derrière un bureau anguleux. Kathryn vit les traits à l'expression morose et volontairement mystique de Frederic Storm qui regardait du haut du mur dans une photo en relief de près de 2 mètres au moins. *Der Führer,* pensa-t-elle. *Heil!*

« Vous arrivez un peu tôt pour notre office vespéral de bénédiction et d'unité universelle, déclara la femme. Nous aurons Frederic Storm à l'écran ce soir à 8 heures et ce devrait être un événement passionnant. Mais entre-temps nous pouvons nous occuper de l'orientation préliminaire. Avez-vous appartenu à un chapitre de la Société avant de venir ici?

– Non, dit Kathryn. Je...

– Alors, il n'y a que ces simples formalités. » La femme poussa vers elle un cube enregistreur. « Si vous répondez pour nous à quelques questions, nous pouvons vous inscrire immédiatement et vous mettre à vous intégrer à l'harmonie de notre groupe. Je suppose que vous êtes au courant de l'ensemble de nos croyances et de nos buts? » La femme eut un hochement de tête expressif vers l'image farouche de Frederic Storm sur le mur. « Peut-être avez-vous lu plusieurs des livres de Frederic Storm concernant ses contacts avec nos frères de l'espace? C'est un écrivain extraordinaire, ne pensez-vous pas? Je ne conçois pas comment une personne douée de raison peut lire ses livres sans s'apercevoir que... »

Se jetant à l'eau, Kathryn l'interrompit. « Je suis désolée, je n'ai lu aucun de ses livres. Je ne suis pas venue non plus pour l'office. Ni pour adhérer, en réalité. Je désirais seulement des renseignements. »

L'expression de cordialité professionnelle disparut. « Vous êtes des médias? questionna la femme avec humeur.

– Vous voulez dire un reporter? Oh, non. Je ne suis qu'une... » Kathryn s'arrêta et découvrit l'entrée en matière qu'il fallait choisir. « Juste une ménagère. Je suis troublée par ces histoires de l'espace, les soucoupes et tout ça, et je ne sais vraiment pas quoi demander d'abord, sauf que je souhaite en connaître davantage sur le sujet, s'il y a des êtres dans l'espace, vous comprenez, et ce qu'ils cherchent auprès de nous et le reste. J'avais l'intention de faire un saut ici depuis longtemps. Et quand j'ai vu la boule de feu l'autre soir, eh bien, ça m'a décidée. Je suis venue dès que j'en ai eu l'occasion. Mais je suis vraiment ignorante. Vous devrez commencer par le commencement avec moi. »

La femme du Culte du Contact se radoucit, maintenant qu'elle n'avait plus à se garder contre la curiosité d'un journaliste. Elle déclara : « Peut-être devriez-vous débuter par la lecture de notre documentation. Voici la série qui vous mettra au courant. » Elle prit sur son bureau une épaisse enveloppe bulle qu'elle fit glisser vers Kathryn. « Vous y trouverez toutes les brochures explicatives. Puis... » Elle ajouta un épais livre broché à la pile. « ... voici la dernière édition de *Nos Amis, la Galaxie.* C'est vraiment passionnant.

– Je vais tout lire.

– Il y a deux dollars à payer pour la documentation. »

Ce qui stupéfia Kathryn. D'ordinaire, les racoleurs de prosélytes ne sautaient pas sur les bénéfices aussi tôt dans le processus de la conversion. Elle pinça les lèvres et, néanmoins, tendit les deux billets.

« Il y a aussi un film d'information qui dure un quart d'heure. Nous le projetons dans notre auditorium au premier étage toutes les demi-heures. La prochaine séance commence dans cinq minutes. » Un bref sourire. « C'est gratuit.

– J'irai le voir, promit Kathryn.

– Parfait. Ensuite, si vous pensez que vous aimeriez participer de façon plus approfondie à l'expérience que Frederic Storm offre au monde, revenez ici et nous parlerons, je vous inscrirai à titre de mesure préalable. Cela vous donnera le droit d'assister à l'office de ce soir.

– D'accord, dit Kathryn. Et maintenant puis-je vous poser rien qu'une question... à propos des soucoupes, pas quelque chose concernant précisément cette Société?

– Bien sûr.

– La boule de feu de lundi soir. Ce n'était pas réellement un météore, hein? Ne pensez-vous pas que c'était une soucoupe volante, peut-être une soucoupe en train d'explorer?

– Frederic Storm croit que c'était effectivement un véhicule des populations galactiques », déclara la femme d'un ton guindé. Elle était comme une sorte de robot, déclamant les paroles du chef, prenant toujours soin de l'appeler par son nom entier. « Il a fait une brève déclaration à ce sujet hier. Il projette d'exposer pleinement son opinion à un office au début de la semaine prochaine.

– Et il dit que c'était une soucoupe? Et l'équipage?

– Il n'a pas fait de déclaration concernant l'équipage.

– Supposons, dit Kathryn avec gêne, supposons que les membres de l'équipage... se soient éjectés. Supposons qu'ils aient atterri vivants. Est-ce possible? Qu'ils puissent atterrir, ressembler à des êtres humains et être découverts par nous peut-être et amenés dans nos maisons? Est-ce qu'une chose comme ça s'est déjà produite, à votre avis? »

Elle craignait d'avoir été trop transparente. Cette femme allait lui sauter dessus, c'est sûr, et exiger d'être conduite instantanément au visiteur galactique blessé hébergé chez elle. Mais non, il n'y eut aucune réaction personnelle, seulement un changement de vitesse et la récitation de la section appropriée de la doctrine officielle.

« Les galactiques ont atterri bien des fois sur Terre, c'est certain, et ils sont venus parmi nous sous la forme humaine. Car ils *sont* humains, simplement plus développés, approchant de plus près le divin qui est le but ultime de notre destinée. Frederic Storm dirait qu'il est très probable que les êtres embarqués sur ce vaisseau ont atterri sains et saufs. Mais nous n'avons rien à craindre d'eux. Vous devez le comprendre : ils sont bienveillants. Venez, à présent. Vous allez manquer notre film. Quand vous reviendrez à mon bureau, vous serez beaucoup plus consciente du sens de ce moment unique et merveilleux de l'histoire humaine et transhumaine. »

Kathryn fut reconduite avec maestria à la porte du bureau. Elle se retrouva seule dans l'antichambre à l'apparence aseptique d'une salle d'opération. Une pancarte indiquait la direction de l'auditorium à l'étage au-dessus et Kathryn la suivit. Une rampe l'amena dans une vaste salle à l'aspect abstrait. La paroi du fond était un écran; il y avait environ deux douzaines de rangées de sièges et les emblèmes habituels, des portraits de Frederic Storm, des cartes des étoiles et d'autres accessoires du Culte du Contact. Quatre autres personnes, toutes des femmes d'un certain âge, étaient dans la salle. Kathryn prit place au dernier rang et, presque aussitôt, les lumières s'éteignirent lentement et l'écran s'illumina.

Une voix de récitant déclama avec des accents pompeux : « *De l'incommensurable vide du cosmos, du fond des inconcevables profondeurs de l'espace intergalactique, vers notre humble planète tourmentée, voici que viennent des visiteurs amicaux.* »

Sur l'écran : les étoiles. La Voie Lactée. Gros plan sur un groupe d'étoiles. Soudain une vue de notre système solaire, les planètes se succédant comme des perles enfilées dans le ciel. Saturne, Mars, Vénus, la Terre avec les continents plus en relief que nature, un cliché visiblement truqué, rien de commun avec une vraie vue aérienne. Puis une soucoupe volante surgit, infiniment petite, grandissant de plus en plus à mesure qu'elle approchait de la Terre. Kathryn dut réprimer l'envie d'éclater de rire. La soucoupe était un machin comique, tout en hublots, périscopes et lumières clignotantes. Jusque-là, le film n'était pas plus qu'un scénario standard de science-fiction, traité avec le degré habituel de subtilité.

« *Des êtres d'une grâce divine... aux facultés transhumaines... bienveillants, clairvoyants, infiniment sages... apitoyés par notre civilisation accablée de maux...* »

A présent, l'écran montrait l'intérieur de la soucoupe volante. Des instruments partout, des ordinateurs, des appareils de contrôle et des dispositifs cliquetants. Présentation de l'équipage de la soucoupe : de superbes spécimens de vie transhumaine, musclés, magnifiques, avec une expression d'ineffable sagesse. Maintenant le vaisseau descendait sur la Terre, se posant avec la légèreté d'une plume. L'action devint violente : des fermiers tiraient des coups de fusil sur les visiteurs; des hommes en uniforme, à la mine menaçante, les attaquaient; des femmes en pleine crise de nerfs se blottissaient derrière des arbres. Et les visiteurs galactiques gardaient leur calme au milieu de ce déchaînement, évitaient balles et bombes, souriaient avec tristesse, faisaient signe aux Terriens effrayés de reprendre courage.

« *Dans cette période de crise et de doute, Frederic Storm s'est avancé pour s'offrir comme médiateur entre l'humanité et la transhumanité...* »

Le grand homme s'avançait sans crainte vers la soucoupe immobilisée. Souriait. Tendait les mains en un geste de salutation. Traçait des figures géométriques par terre. Prononçait de sonores paroles de bienvenue. Storm était à bord de la soucoupe, à présent. Les galactiques avaient l'air de mesurer au moins dans les deux mètres quarante de haut. Ils serraient sa main avec solennité.

« *A une espèce humaine hostile, imprégnée de terreur, Frederic Storm est venu apporter le message de paix. Au début il n'a rencontré que les huées et les moqueries qui ont été le lot d'autres grands leaders de l'humanité...* »

Une foule cassait le pare-brise de la voiture de Storm. L'incendiait. La police sauvait le prophète juste à temps. Des poings agités de façon menaçante. Des visages crispés par la haine.

« *... mais il y avait ceux qui ont reconnu le bien-fondé de la mission de cet homme persécuté..* »

Un plan d'une file de femmes dans un supermarché attendant pour acheter des exemplaires d'un des livres de Storm. Des disciples. Storm qui souriait, qui parlait à la foule dans le Colisée de Los Angeles. Une sensation de rythme qui s'accélérait, de mouvement religieux style mormon qui s'amorçait.

Kathryn s'agita sur son siège.

Avec une sorte d'habileté simplette, le film changeait frénétiquement de plan, à présent, donnant une nouvelle vue de Storm au milieu des hôtes de la soucoupe. Storm qui faisait prier et méditer ses fidèles, Storm qui parlait directement sur l'écran et incitait l'humanité entière à écarter méfiance et suspicion pour accueillir du fond du cœur les bienveillants êtres de l'espace. Des plans d'autres témoins de l'existence des soucoupes traversèrent l'écran : des femmes raides d'émotion déclarant qu'elles avaient vu les galactiques – « Oui , bien sûr que je les ai vus » – et des hommes maigres et tremblants annonçant qu'ils avaient voyagé dans les vaisseaux des gens des soucoupes, « véritablement et effectivement ». Et une séquence finale de plans montrant un authentique office de la Société pour la Fraternité des Mondes. Ce n'était pas autre chose qu'une séance de *revival*[1] pleine de bénédictions et d'affirmations clamées à tue-tête, de bras qui s'agitaient, de fronts luisants de sueur et d'yeux écarquillés, de descriptions extatiques de contact avec les galactiques. Le film s'achevait sur une rhapsodie d'accords d'orgues qui ébranla le bâtiment. Quand les lumières se rallumèrent, les quatre autres femmes de l'assistance restèrent immobiles, abasourdies, comme si elles avaient été témoins d'une renversante épiphanie[2].

Kathryn s'en alla rapidement, se faufilant dans l'antichambre du rez-de-chaussée avant que personne puisse la voir. Venir ici avait été une perte de temps, elle s'en rendait compte maintenant. Tout ce qu'elle avait entendu dire sur le Culte du Contact était vrai : ce n'était rien qu'un truc à rapporter de l'argent, une entreprise pour exploiter les esprits crédules. Kathryn fut tentée de se précipiter dans cet élégant bureau et de crier : « Frederic Storm n'a jamais vu un galactique de sa vie! Si vous voulez en voir un, venez chez moi! » Les galactiques avaient-ils deux mètres quarante de haut, avaient-ils une expression de suprême bienveillance divine? Non; du moins pas l'un d'eux. Kathryn ne trouvait rien de commun entre la personne qu'elle hébergeait et les êtres suaves du film. Frederic Storm était un imposteur et ses adeptes des toqués, exactement comme la plupart des gens intelligents l'avaient toujours affirmé. Pour Kathryn,

1. Le terme *revival* (littéralement : *réveil*) désigne un mouvement religieux de « réveil » spirituel. *(N.d.T.)*

2. Le terme « épiphanie » (du grec : manifestation, venue à la lumière) n'est pas pris ici au sens de la fête chrétienne du 6 janvier commémorant le baptême du Christ (dans l'Église d'Orient) et les Noces de Cana et (depuis le ve siècle dans l'Église d'Occident) la venue des Mages à l'occasion de la première manifestation du Christ aux Gentils. Le terme est employé au sens grec primitif de manifestation révélatrice (de Dieu ou d'un être divin) ou de soudaine perception de la nature ou de la signification de quelque chose. *(N.d.T.)*

cela semblait d'une amère ironie que Vorneen ait choisi de choir dans le jardin d'une sceptique. Que se serait-il passé si Vorneen était tombé près de la maison d'un vrai croyant?

L'idée la fit rire. Storm serait sûrement dégommé du jour au lendemain si un de ses adeptes se présentait à l'office du soir avec un galactique authentique en remorque! Ce serait comme d'amener Jésus à la Grand-Messe... une situation embarrassante pour les autorités.

Dommage, toutefois, que cette course ait été inutile. Avec ce qu'elle savait maintenant être le comble de la naïveté elle était partie pour Albuquerque en s'attendant à trouver un réconfort et des conseils sincères au Culte du Contact – quelqu'un qui serait capable de la guider et d'interpréter pour elle la présence à son foyer de cet être mystérieux. Au lieu de cela, elle avait reçu un fatras publicitaire débité par une machine et s'était vu extorquer deux dollars. La Société pour la Fraternité des Mondes, c'est zéro, pensa Kathryn en retournant à toute vitesse chez elle sur une autoroute que commençait juste à encombrer le début de l'heure d'affluence. Le Culte du Contact n'avait rien à offrir. Elle ne pouvait compter que sur elle-même dans ses relations avec Vorneen.

Après avoir repris Jill chez la voisine, Kathryn entra dans sa maison et se mit à penser au dîner. Elle alla dans la chambre de Vorneen. Il était éveillé.

« Ça s'est bien passé, la course en ville? demanda-t-il.

– Pas tellement. Je n'ai abouti à rien.

– Qu'est-ce que vous avez dans la main? »

Elle s'aperçut qu'elle tenait les prospectus et brochures qu'elle avait achetés au Culte du Contact. Ses joues s'enflammèrent. « Pas grand-chose d'intéressant. Rien que des balivernes.

– Je serais content d'avoir quelque chose à lire. »

Kathryn chercha une échappatoire, n'en trouva pas et dit : « D'accord. Pour ce que ça vaut, voilà. » Elle jeta la documentation sur le lit. Vorneen étala en éventail les opuscules.

« Qu'est-ce que c'est que tout ça? » demanda-t-il.

Elle répliqua d'un ton calme : « De la documentation

sur les soucoupes volantes. Je l'ai eue au Culte du Contact d'Albuquerque. Vous savez ce que c'est, un Culte du Contact?

– La nouvelle religion. Fondée sur de prétendues rencontres entre Terriens et êtres de l'espace.

– Exact, dit Kathryn.

– Pourquoi vous intéresseriez-vous à des choses pareilles? » demanda-t-il – et l'on ne pouvait se méprendre à la malice dans sa voix.

Kathryn le regarda droit dans les yeux. « Je m'intéresse à beaucoup de choses. Mais j'ai perdu mon temps avec ces gens-là. Ils disent des sottises. Ils ont inventé toute leur religion. Ils ne reconnaîtraient pas un vrai galactique s'il allait leur dire bonjour.

– Vous en êtes sûre?

– Oui, dit-elle avec fermeté. Oui! »

XI

AUX moments les plus sombres de ces quelques dernières années, Tom Falkner aimait à se dire qu'il vivait en enfer. Mais maintenant, dans le peu de jours qui s'étaient écoulés depuis qu'il avait amené Glair dans sa maison, il en était venu à conclure que c'était une exagération. Il avait vécu non pas dans l'enfer même mais seulement aux abords. Il était enfin arrivé au plein centre.

Il ne savait pas combien de temps encore il pourrait le supporter sans craquer tout à fait.

Il avait encaissé pas mal de coups durs dans son existence – le fiasco de sa carrière d'astronaute, sa relégation au tas de rebut du C.E.O.A., la rupture de son mariage – sans craquer. Il s'était courbé, oui. Mais il était resté entier. Par contre, cette ultime chose-là, c'était trop. Elle le frappait de plein fouet dans la ligne de conflits inapaisables qui se trouvaient au centre de son être – et il était sur le point d'éclater comme la Faille San Andreas.

Glair dit : « Allez, buvez donc.

– Comment savez-vous que j'ai besoin de boire?

– Ce n'est pas difficile à voir. Pauvre Tom! Je suis vraiment peinée pour vous.

– Nous sommes deux de jeu.

– Je sais, répliqua-t-elle en laissant un sourire éclore sur son visage et disparaître.

– Petit démon! Se moquer de mon point faible, ce n'est pas loyal. Est-ce ma faute si ma nature me porte à m'apitoyer sur mon sort?

– Vous pourriez faire un peu plus d'effort. Mais prenez à boire tout de même.

– En voulez-vous?

– Vous savez bien que je ne dois pas absorber d'alcool », dit Glair. Elle était assise dans le lit, les couvertures ramenées autour de sa taille. La partie supérieure de son corps était engoncée dans une des vestes de pyjama de Tom Falkner. Il avait insisté pour qu'elle la mette; elle n'avait pas de quoi s'habiller, en dehors du sous-vêtement de caoutchouc et de la combinaison spatiale, l'un et l'autre cachés au fin fond du coffre-fort qu'il avait au sous-sol, et dans l'état d'esprit où il se trouvait présentement l'indifférence de Glair à l'égard de la nudité le gênait. Elle avait des seins extraordinairement bien développés – de façon invraisemblable, en fait – et leur vue provoquait en lui un tel déchaînement de désir qu'il lui avait demandé de les couvrir. La tentation de monter dans le lit avec elle était déjà suffisamment accablante. Et il avait une quantité d'autres problèmes causés par sa présence ici, en ce moment, sans y ajouter celui-là.

Il sortit de son cabaret de poche un siphon de scotch japonais et le déclencha. Tout droit dans la veine; voilà la bonne méthode. Pas besoin d'avoir à supporter ce goût infect, s'injecter l'alcool dans le sang où il devait être et le lancer vers le cerveau. Glair le regardait d'un air impassible. Peu après, il s'imagina qu'il était plus détendu.

« Ne serez-vous pas obligé d'aller à votre bureau un de ces jours? questionna-t-elle.

– Je suis en congé de maladie. Personne ne me dérangera jusqu'à lundi, maintenant. Cela me donne quelques jours de plus pour réfléchir.

– Vous avez toujours l'intention de me livrer?

– Je le devrais. Je ne peux pas. Je ne le veux pas.

– Mes jambes s'améliorent très rapidement, reprit-elle. Elle seront guéries d'ici deux autres semaines, peut-être. Alors vous serez débarrassé de moi. Je m'en irai, les gens de chez moi m'emmèneront et vous pourrez retourner travailler.

– Comment vous trouveront-ils, si ce communicateur qui est dans votre combinaison spatiale ne fonctionne plus?

– Ne vous tracassez pas pour ça, Tom. Ils me découvriront ou je les découvrirai et je serai hors la Terre en moins de temps qu'il n'en faut pour le dire.

– En route vers où? Retour à Dirna?

– Probablement pas. Simplement à notre base de secours pour un bilan médical et du repos. »

Il fronça les sourcils. « Où est-elle?

– Je ne veux pas vous le dire, Tom. Je vous en ai déjà beaucoup trop dit.

– Évidemment, répliqua-t-il d'un ton morose. Et quand je vous aurai extirpé tous vos secrets galactiques, j'enverrai un rapport complet à l'Armée de l'Air. Vous vous imaginez que je vous garde ici pour m'amuser? Je fais simplement semblant de vous cacher. En réalité, le C.E.O.A. est parfaitement au courant et ceci est notre méthode subtile pour...

– Tom, pourquoi vous détestez-vous autant?

– Me détester?

– Cela se voit dans chaque mot que vous dites, même dans vos mouvements. Vous êtes tout plein d'amertume, de tension. Vos sarcasmes. L'expression de votre physionomie. Qu'est-ce qu'il y a donc?

– Je supposais que vous étiez au courant. J'étais censé être un astronaute, on m'a débarqué, on m'a planqué sur une voie de garage à un poste idiot où je passe cinq jours par semaine à réconforter des cinglés et à courir la campagne à la recherche de lumières clignotantes mystérieuses. N'est-ce pas une raison d'être amer?

– Oui, parce que vous ne croyiez pas à votre travail. Mais maintenant vous savez que vos fonctions au C.E.O.A. n'étaient pas du temps perdu. Il y *avait* effectivement quelque chose là-haut au-dessus de la Terre. N'est-ce pas mieux? N'avez-vous pas conscience à présent que votre travail a une raison d'être?

– Non, répliqua-t-il avec humeur. Ce que je faisais ne valait pas un pet de lapin. Et ne vaut toujours rien. » Il tendit la main pour prendre un autre siphon de scotch. « Glair, Glair, Glair, je ne *voulais* pas que ce soit vrai! Je ne voulais pas trouver une navigatrice de soucoupe volante dans le désert! Je... »

Il s'arrêta, sentant l'absurdité de ce qui lui avait échappé.

Glair dit avec douceur : « Vous préfériez avoir un travail inutile, sans valeur, parce qu'ainsi vous pouviez continuer à vous torturer avec l'échec de votre carrière. Les choses sont devenues bien pires pour vous quand vous m'avez découverte, n'est-ce pas ? Tout à coup, vous avez dû affronter le fait que votre raison de vous torturer avait disparu.

– Ça suffit, Glair. Changez de sujet.

– Regardez-moi, Tom. Pourquoi vous haïssez-vous comme cela ? Pourquoi voulez-vous continuer à vous faire du mal ?

– Glair...

– Vous trouvez toujours aussi de nouveaux moyens de vous supplicier. Vous m'avez dit que votre devoir vous commandait de me signaler. Vous ne l'avez pas fait. Vous êtes seul de tout le C.E.O.A. à avoir réellement déniché un être extra-terrestre et, au lieu d'agir naturellement en militaire, vous l'amenez chez vous, vous le cachez dans votre maison et vous opacifiez les fenêtres. Pourquoi ? Pour vous délecter de la façon dont vous vous rendez coupable en violant vos ordres.

Il avait la main tellement tremblante que c'est tout juste s'il parvint à mettre en contact son nouveau siphon d'alcool avec sa veine.

« Encore une chose, Tom. Puis je vous laisserai tranquille. Pourquoi gardez-vous vos distances à mon égard, si ce n'est à cause de cette même idée que vous devez continuer à vous faire du mal ? Vous me désirez et nous le savons l'un et l'autre. Mais vous vous châtiez en couvrant mon corps avec ce machin et en vous disant que vous êtes vertueux. Il y a un mot dans votre langue pour votre genre de personnalité. Vorneen me l'a dit une fois. Un mato... mati...

– Masochiste », répliqua Falkner. Son cœur martelait la cage de ses côtes.

« Masochiste, oui. Je n'entends pas par là que vous vous donnez des coups de fouet et portez des chaussures trop étroites. Je veux dire que vous inventez des moyens de martyriser votre âme.

– Qui est Vorneen ? questionna Falkner.

– Un de mes compagnons.

– C'est-à-dire? Un de vos coéquipiers?

– Oui, aussi. Mais je parlais d'un compagnon sexuel. Vorneen, Mirtin et moi, nous formions une équipe. Un groupe sexuel à trois facettes. Deux éléments masculins et moi.

– Comment un arrangement comme celui-là pourrait-il marcher? A bord d'un seul vaisseau, deux hommes et...

– Cela marche. Nous ne sommes pas humains, Tom. Et nous n'avons pas nécessairement les mêmes émotions que les êtres humains. Nous étions très heureux ensemble. Ils ont peut-être été tués quand le vaisseau a explosé, je ne sais pas. J'ai sauté la première. Mais vous vous écartez du sujet, Tom. Le sujet, c'est vous.

– Oubliez-moi. Je n'avais jamais pensé que vous puissiez avoir un... un groupe sexuel. Cela ne m'était pas du tout venu à l'esprit. Vous êtes donc une femme mariée.

– Si vous voulez. A moins qu'ils ne soient morts. Je n'ai aucun moyen de communiquer avec eux.

– Mais vous les aimiez tous les deux? »

Le front de Glair se plissa. « Je les aimais tous les deux, oui. Et je peux encore trouver moyen d'aimer quelqu'un d'autre. Venez ici, Tom, et cessez de chercher des moyens de vous rendre malheureux. »

Il s'approcha lentement, songeant à deux hommes et une femme à bord d'une soucoupe volante et se disant qu'ils n'étaient pas des hommes, qu'elle n'était pas une femme. Il fut surpris par la violence de la jalousie qui le poignait. Il se demanda à quoi ressemblait leur façon étrangère de s'aimer. Il avait la tête qui tournait.

Glair leva les yeux, le regard calme et engageant. « Enlevez-moi ce ridicule morceau d'étoffe, Tom. S'il vous plaît. »

Il fit passer la veste de pyjama par-dessus la tête de Glair, laissant en désordre sa chevelure dorée. Ses seins étaient hauts, fermes, très blancs, et témoignaient d'un mépris total pour les lois de la pesanteur. C'était le genre de seins que l'on voit aux femmes qui posent pour les calendriers, mais jamais sur une femme en chair et en os : mystérieusement fermes, mystérieusement proches l'un de l'autre, mystérieusement dressés, l'image idéale de ce qu'un garçon de seize ans imagine être des seins de femme. Glair rejeta les couvertures. Il la regarda et se rappela que son corps entier était artificiel, une enveloppe synthétique pour quelque chose d'effroyablement étrange. Elle pouvait avoir les seins d'Aphrodite et les cuisses de Diane, elle pouvait avoir toutes les perfections féminines qu'elle désirait, puisqu'elle avait fait confectionner ce corps selon sa fantaisie. Sa chair donnait l'impression d'être de la chair, à l'intérieur il y avait des nerfs, des os et des conduits pour le sang, mais chair, nerfs, os et sang étaient tous les produits pseudo-vivants d'un laboratoire.

Sous cette enveloppe artificielle superbe – qui pouvait dire quelle horreur se cachait?

Mais d'autre part, se dit Falkner, quelle femme humaine est ravissante sous sa peau? Cette masse fumante d'intestins empilés, ces tubes, ces globes et ces spires serpentines, le crâne ricanant sous le beau visage? Nous portons tous un cauchemar sous notre peau. C'était folie de prononcer une exclusive contre le genre de cauchemar de Glair.

Les vêtements de Falkner tombèrent. Elle l'attira près d'elle.

« Vos jambes..., commença-t-il.

– Elle vont très bien. Oubliez-les et montrez-moi comment un Terrien fait l'amour. »

Il la toucha. « Pouvez-vous... est-ce que vous...?

– L'anatomie est toute là, lui assura Glair. Pas les organes internes, mais quelle importance? Tenez-moi dans vos bras, Tom. Apprenez-moi. Aimez-moi. »

Avec aisance, plus d'aisance qu'il ne l'imaginait possible, il l'étreignit, sentit la peau lisse et fraîche de la jeune femme contre son cuir suant, la caressa exactement comme si elle était réelle et que ceci était la réalité et en rien un rêve. Avec une ardeur frénétique, il la saisit, la trouva prête et, dans un brusque soulagement farouche, il rompit les liens qu'il s'était imposés et accepta le cadeau d'amour qu'elle offrait.

XII

« ... ET puis-je avoir le numéro de votre centre de crédit ? demanda le réceptionniste du motel.

– Je n'ai pas de carte de crédit, répliqua David Bridger. Je paierai ma chambre comptant. » Il vit l'expression soupçonneuse sur le visage de l'employé et arbora son camouflage de Bonhomme Noël jovial. Il explosa d'un grand rire retentissant et déclara : « Je parie que je suis le dernier homme de l'hémisphère occidental à ne pas en avoir, hein ? Je ne crois pas à ces trucs-là ! L'argent était assez bon pour mon papa, l'argent est assez bon pour moi ! Combien ? »

L'employé le lui dit. Bridger sortit plusieurs billets froissés du portefeuille qu'il avait trouvé dans sa trousse d'urgence – tous les agents kranazoïs étaient munis d'une liasse d'argent terrien, pour le cas où ils seraient obligés de faire un atterrissage forcé – et les étala sur le comptoir. L'employé parut plus rassuré. Un inconnu couvert de poussière, sans bagages, sans même une carte de crédit, arrivant ici à pied... c'est suspect pour un motel. Mais l'argent de l'inconnu était vert [1]. Et qui refuserait une chambre au Père Noël trois semaines avant Noël ?

« Le 216, lui annonça l'employé. Deuxième niveau, sur votre gauche. »

La chambre était une pièce en triangle avec une entrée exiguë au point d'être quasi inexistante, qui se déployait

1. Le vert, on s'en souvient, est la couleur du billet de banque américain. Le *greenback* (dos vert) est synonyme de *dollar*. *(N.d.T.)*

selon un arc de peut-être trente degrés sur le périmètre extérieur de l'immeuble circulaire. Bridger s'inséra dedans, verrouilla la porte et la scella avec l'empreinte de son pouce, puis se laissa choir lourdement sur le lit. Cette marche de quelques kilomètres avait épuisé son corps terrien. Il n'était pas en forme, pensa-t-il, malgré le soin qu'ils avaient pris de rester constamment en pesanteur totale à bord du vaisseau pour conserver leur tonus musculaire.

Il se dépouilla de ses vêtements et les fourra dans le nettoyeur ultrasonique fonctionnant avec des pièces de monnaie placé contre la paroi de droite. Puis il alla se poster sous la douche. Il connaissait en théorie le mécanisme d'une douche, mais son conditionnement de Kranazoï le retenait de la déclencher. Kranaz était un monde sec, où l'eau était vie et puissance, et cela le stupéfiait de penser que même ici, dans cette région la plus sèche de l'Amérique du Nord, il n'avait qu'à toucher ces boutons pour que de l'eau en quantité inépuisable se déverse sur lui. Avec le sentiment d'agir de façon scandaleuse, il fit couler l'eau. Bridger aurait aimé pouvoir enlever ce corps terrien qu'il portait, pouvoir l'arracher en grands morceaux flasques et exposer sa vraie peau à cette eau. Il demeura sous la douche une demi-heure, se délectant d'y être.

Il se sécha, s'habilla et se regarda dans le miroir. Il paraissait à peu près présentable. Un homme gras n'a pas besoin d'avoir l'air absolument impeccable. Les spécialistes qui avaient dessiné sa peau avaient arrangé les choses de sorte que son visage semblait toujours avoir été rasé depuis trois heures et n'avoir pas besoin de l'être avant une autre demi-journée. Ils n'avaient pas encore résolu le problème technique d'une barbe en pousse constante. Aucune importance, pensa Bridger. Ça ira comme ça.

Et maintenant occupons-nous de ces trois Dirnans...

Il se faufila en crabe hors de la chambre et descendit à pied au rez-de-chaussée. Le motel avait un bar juste à côté dans la rue, un bar de luxe avec une cascade bondissant dans un bruit de tonnerre par-dessus une barrière de verre. De l'eau encore! Bridger entra dans le bar. Il vit de petits groupes d'hommes, trois ou quatre au maximum, assis çà et là devant des consommations. Leur habillement était cérémonieux : des hommes d'affaires, il le comprit. Il s'installa au comptoir. Une jeune femme s'approcha pour le servir. Son costume succinct laissait voir beaucoup de chair – et Bridger remarqua avec une certaine fascination que ses seins quasi nus avaient été enduits d'une espèce de substance fluorescente. Dans la demi-obscurité de la salle, la lueur bleu-vert de sa poitrine tirait l'œil. Un nouveau style, hein? Ce n'était pas à son goût; mais, aussi, les Kranazoïs n'étaient pas des mammifères et il n'était nullement en mesure d'apprécier la signification érotique des seins.

Elle pointa vers lui ses mamelles lumineuses et dit : « Qu'est-ce que vous prendrez?

– Du xérès avec des glaçons », répondit Bridger.

Ce qui lui valut de la part de la jeune femme un drôle de regard. Manifestement aucun homme réel ne buvait de boisson aussi anodine. Bridger se contenta de sourire. Le xérès, il le savait, n'était qu'un vin alcoolisé, contenant moins de dix pour cent d'alcool. Son métabolisme considérait l'alcool comme un poison et moins il en absorbait mieux il se portait. Il avait besoin de boire quelque chose, à titre d'entrée aux conversations du bar, mais plus ce serait léger mieux cela vaudrait.

Elle lui servit sa consommation. Il paya la jeune femme et elle se dirigea en se balançant vers le client suivant. Bridger but délicatement à petites gorgées.

Il écoutait. Son système auditif était extrêmement sensible.

« ... augmenté le dividende quatre ans de suite et j'ai appris qu'ils allaient en distribuer trois pour une en avril... »

« ... alors il l'a emmenée dans la chambre, tu comprends, mais quand il l'a eu déshabillée voilà-t'y pas... »

« Les Braves n'ont pas une chance si Pasquarelli doit vraiment jouer toute la saison au Japon... »

« ... quoi qu'on dise de cette satanée boule de feu, je refuse de croire que c'était seulement... »

« ... il leur reste sept lots dans cette subdivision, dont trois sont presque vendus à ... »

« Comment discuter quand on a un bénéfice de six dollars par action?... »

« ...quarante et un *home runs* [1] avec un poignet foulé... »

« ... qu'à ce moment-là elle lui a dit : Donne-moi cinquante dollars ou j'appelle la police, alors lui... »

« ... soucoupe volante... »

« En ajoutant les canalisations d'eau, de gaz et d'électricité, cela ira chercher comme coût dans les... »

« ... négociées hors bourse à présent, mais elles vont être cotées... »

« ... bien sûr que j'y crois! Écoute, mon vieux, elles grouillent littéralement dans ce satané pays! »

« ... ils ont ce demi-arrière mexicain, non, cubain... »

« ... il a flanqué à la belle une bonne tournée... »

« ... après que la banque aura saisi, nous pourrons... »

Bridger avala avec précaution une nouvelle gorgée de sa consommation. Puis il se souleva lourdement de son siège et traversa la salle, travaillant ferme à se donner l'air bienveillant et amical. Il resta debout un moment à côté du groupe de quatre hommes; ils ne lui prêtèrent guère attention. Une serveuse aux cuisses pourprées passa d'une démarche légère près d'eux. Les hommes étaient jeunes, jugea Bridger, mais pas très jeunes. Quand deux d'entre eux levèrent la tête, l'agent kranazoï arbora un large sourire et déclara de son ton le plus affable : « Excusez-moi de me mêler à la conversation, les amis, mais je n'ai pas pu m'empêcher de vous entendre parler de cette soucoupe volante... »

1. Au *base-ball* (jeu américain présentant des analogies avec le cricket anglais et se jouant avec deux équipes de neuf joueurs, une balle, des battes et des gants), le *home run* (retour à sa base) est un coup qui permet au batteur de faire un circuit complet des bases et de marquer un point. *(N.d.T.)*

XIII

MIRTIN savait qu'il violait les règlements en se mettant sur ce pied d'intimité avec le petit Indien. Un Dirnan contraint de se poser sur la Terre était en général censé éviter tout contact avec les Terriens ; pour survivre, certaines exceptions à la lettre de la réglementation étaient autorisées, mais il avait largement dépassé leurs limites. Entre autres choses interdites, il ne devait pas expliquer le but de la mission dirnane, discuter de la localisation et de la civilisation de Dirna ou permettre à un Terrien de manipuler le matériel que l'observateur avait apporté avec lui en touchant le sol. Mirtin avait fait tout cela.

Cependant il n'en éprouvait guère de remords. Il avait servi avec compétence et loyauté sa planète natale pendant une longue vie. Pour ce qui équivalait à des centaines d'années d'après la façon de compter de l'espèce de Charley Estancia, Mirtin avait obéi à toutes les réglementations. Il avait bien droit à un petit manquement dans sa vieillesse.

De plus, il y avait Charley à prendre en compte. Mirtin voyait le garçonnet s'épanouir, mûrir d'une soirée à l'autre. La matière première était bonne : un esprit vif, curieux, une nature avide de connaissances et d'expérience. L'environnement avait contrecarré Charley en le lâchant dans une enclave où étaient volontairement maintenus des traits culturels primitivistes. Mirtin estimait que l'univers devait à Charley Estancia un aperçu de quelque chose de plus vaste que son pueblo d'adobe. Si, justement, l'univers avait choisi Mirtin de Dirna pour être l'agent de l'éveil du garçonnet, Mirtin n'avait qu'à accepter simplement ce fait, sans trop se soucier des règles de sécurité. Le simple patriotisme doit parfois céder le pas à des obligations plus importantes.

Charley était accroupi à côté de lui, caressant les outils brillants que Mirtin l'avait laissé prendre dans sa combinaison spatiale.

« Celui-ci fait quoi? questionna le jeune garçon.

– C'est un... eh bien, nous voyons en lui un générateur portatif. Il fabrique de l'électricité.

– Mais je peux le tenir dans ma main. Vous avez un petit électro-aimant quelque part à l'intérieur? Comment fonctionne-t-il?

– Il capte le champ magnétique de la planète, expliqua Mirtin. Tu sais que les planètes sont comme de gros aimants?

– Oui, oui, bien sûr.

– Cet instrument établit des lignes de force qui s'opposent au champ magnétique de la planète. On appuie sur ce levier et il traverse les lignes magnétiques pour induire un courant. Nous l'appelons un voleur, Charley, parce qu'il semble voler l'électricité à l'air ambiant. Naturellement, il ne fait que l'emprunter, en réalité, il ne la vole pas.

– Puis-je l'essayer?

– Vas-y. Mais comment l'utiliseras-tu? »

Le garçonnet désigna le bidon. « Vous avez laissé un peu d'eau dedans. Si ceci produit vraiment du courant, je devrais pouvoir dissocier l'eau, non? En hydrogène, en oxygène? Comment ça s'appelle, déjà? Électro... électrola...

– Électrolyse, dit Mirtin. Oui, cela marchera. Fais attention, tout de même.

– Et comment! »

Mirtin montra au jeune garçon comment extraire les électrodes. Avec une grande précision, Charley mit l'outil en état de servir et plongea les électrodes dans l'eau. Puis il déclencha le générateur. Tous deux regardèrent avec satisfaction le courant séparer les molécules d'eau comme il se devait.

« Hé, ça marche! s'exclama Charley. Écoutez, est-ce

que je peux l'ouvrir? J'aimerais voir ce qu'il y a dedans qui produit le courant!

– Non, répliqua Mirtin d'un ton brusque.

– Vous ne voulez pas, hein? Je le remonterai après. Il sera comme neuf. Je ne l'abîmerai pas.

– Je t'en prie, Charley. N'essaie pas de l'ouvrir. Tu... tu le détruirais. Il a été conçu pour griller si on touche au dispositif d'étanchéité. »

C'était un mensonge et Mirtin ne savait pas très bien mentir à Charley. Il s'efforça de ne pas croiser le regard des yeux noirs brillants.

Charley commenta : « Ça, c'est pour que, si quelqu'un de la Terre le trouvait par hasard, il ne puisse pas le démonter et apprendre à en fabriquer un?

– Heu, oui.

– Vous en avez peut-être un deuxième? Je pourrais ouvrir l'autre et y jeter au moins un coup d'œil avant qu'il soit complètement brûlé.

– Il n'y en a pas d'autre dans ma trousse », répliqua Mirtin. Il soupira. « Si j'en avais un, je ne te le laisserais pas ouvrir, de toute façon.

– Vous avez peur que j'en apprenne trop? Que j'apprenne quelque chose que les Terriens ne sont pas censés savoir?

– C'est cela, avoua Mirtin. Je ne devrais même pas te montrer ces choses-là. J'enfreins un règlement en le faisant. Mais je ne dois pas te laisser regarder à l'intérieur. Comprends-tu, Charley, cela ne sert à rien que nous descendions simplement ici pour donner nos outils et vous les laisser étudier et reproduire. Il y a des choses qu'une planète doit découvrir par elle-même. Si la découverte ne vient pas de l'intérieur, cela ne produit pas de bons résultats. J'ai vu des civilisations se désagréger parce qu'elles n'avaient pas créé leur propre technologie. Pas ici. Sur d'autres planètes. Elles avaient emprunté, elles avaient volé... et elles sont tombées en décadence.

– Alors je ne peux pas regarder à l'intérieur?

– Non. Essaie d'imaginer ce qu'il y a dedans, oui. Mais n'y regarde pas. »

Charley déclara : « Vous ne pouvez bouger ni bras ni jambes, Mirtin. Vous ne pourriez pas m'en empêcher si je l'ouvrais.

– Exact, répliqua calmement Mirtin. Je suis incapable de t'en empêcher. Le seul qui est en mesure de le faire, c'est toi, Charley. »

Un grand silence s'établit soudain dans la grotte. Charley passa la main le long de la masse brillante du générateur et lança deux ou trois coups d'œil dans la direction de Mirtin. A regret, il posa l'outil près du reste du matériel du Dirnan.

« Vous voulez une tortilla?

– J'aimerais bien, oui. »

Charley défit le paquet et en sortit une autre tortilla. Comme d'habitude, il la tint au-dessus de la bouche de Mirtin tandis que celui-ci, couché à plat sur le dos, mordait dedans. Cette fois-ci, Mirtin en détacha une bouchée d'un coup de dents, mais ne réussit pas à la rattraper et elle glissa le long de son menton vers le sol de la grotte. Automatiquement, il essaya de dresser sa main droite pour saisir au passage le morceau de tortilla. La tortilla tomba; mais il avait bougé le bras.

« Hé! s'écria Charley. Vous avez levé la main!

– Juste de quelques centimètres.

– Mais vous l'avez remuée! Vous pouvez bouger de nouveau! Quand est-ce que cela a commencé?

– C'est venu petit à petit. Je l'ai remarqué hier. Je suis en train de recouvrer l'usage de mes membres.

– Mais votre dos est cassé!

– La colonne centrale est presque guérie. Les nerfs ont commencé à se régénérer. Cela se produit vite.

– Pour sûr. Mais j'oublie, vous n'êtes pas humain. Ce qu'on vous a mis à l'intérieur, c'est de l'artificiel. C'est meilleur que l'os des hommes, hein? Mon dos repousserait-il si je le cassais?

– Pas de cette façon.

– Je ne le croyais pas non plus. Dans combien de temps pourrez-vous recommencer à marcher, Mirtin?

– Pas de si tôt. Hier un doigt ou deux, aujourd'hui une main entière... mais j'ai encore des progrès à accomplir avant de réussir à soulever mon corps.

– N'empêche, c'est formidable. Vous êtes en train de guérir. » Instantanément, l'humeur de Charley changea. « Quand vous remarcherez, vous retournerez sur Dirna, hein?

– Si je suis secouru. Je ne peux pas battre des ailes et m'envoler, tu sais. Il faut que j'attire l'attention d'une équipe de sauvetage.

– Comment vous y prendrez-vous? Vous envoyez une fusée ou quelque chose comme ça?

– J'ai un système de communication dans ma combinaison spatiale. Il diffuse un signal que l'équipe de secours devrait être en mesure de capter. »

Pas moyen d'échapper à l'esprit agile de Charley. « Si vous avez quelque chose avec quoi demander du secours, comment ça se fait que vous n'ayez pas déjà appelé pour qu'on vienne vous chercher?

– Le communicateur s'actionne à la main. Ma main est paralysée, n'est-ce pas? Je ne peux pas atteindre le mécanisme.

– Eh bien, alors... » Charles déglutit. « Je pourrais m'en charger pour vous, non?

– Tu t'en es déjà chargé, dit Mirtin.

– Quoi?

– Pendant que tu examinais le matériel contenu dans ma combinaison, tu as touché le communicateur un certain nombre de fois. Le signal est émis depuis des jours. Apparemment, le communicateur ne fonctionne pas, sinon on m'aurait trouvé à présent. A condition qu'on me cherche, évidemment.

– Vous ne m'aviez rien dit de tout ça.

– Tu n'avais rien demandé.

– Pourrez-vous réparer le communicateur, Mirtin?

– Peut-être. Je le saurai seulement quand j'aurai recouvré l'usage de mon corps.

– Pourrais-je le remettre en état pour vous?

– Si tu l'arrangeais et qu'on vienne, tu ne me reverrais plus jamais. Veux-tu que je te quitte aussi vite?

– Hé, non, répliqua Charley. J'aimerais que vous restiez ici toujours, à me parler, à m'apprendre des choses. Mais... mais... vous devriez être de nouveau parmi les vôtres. Vous devriez être soigné par un médecin. Je voudrais réparer le communicateur pour vous, Mirtin. Même si cela entraîne que vous partiez.

– Merci, Charley. Mais pas tout de suite. Je ne suis pas assez remis pour supporter l'accélération. Il faut que je continue à me ressouder un peu plus avant qu'on puisse m'emporter. Nous avons donc du temps devant nous pour bavarder. Ensuite, peut-être, tu pourras m'aider à réparer le communicateur. D'accord?

– Comme vous voudrez, Mirtin. »

Charley regardait de nouveau les outils. Il en prit un autre, le disrupteur.

« Qu'est-ce que c'est?

– Un outil pour couper et creuser. Il émet un rayon lumineux extrêmement puissant qui brûle tout ce qui se trouve à sa portée.

– Comme un laser, vous voulez dire?

– C'est un laser, confirma Mirtin. Mais bien plus puissant que ceux utilisés sur Terre. A l'ouverture adéquate, il peut fondre le roc ou trancher le métal.

– Vous parlez sérieusement? »

Mirtin rit. « Tu as envie de l'essayer, hein? Eh bien, d'accord. Tiens-le par le bout arrondi. Voilà le bouton de contact. Laisse-moi vérifier à quelle portée il est réglé. Oui, trois mètres. Ça va. Maintenant, braque-le vers le sol de la grotte, fais attention que tes pieds ne se trouvent pas dans le chemin et appuie sur le... »

Le rayon flamboya. Il consuma dans le sol de la grotte un emplacement de douze centimètres et demi de diamètre et de trente centimètres de profondeur dès la première seconde. Charley poussa un cri et coupa le contact. Tenant le disrupteur à bout de bras, il le considéra avec émerveillement.

« On peut faire n'importe quoi avec ça! s'exclama-t-il.

– C'est très utile, oui.

– Même... même tuer quelqu'un!

– Si on voulait tuer quelqu'un, répliqua Mirtin. Nous ne tuons pas beaucoup sur notre planète.

– Mais si on y *était obligé*, reprit Charley. Je veux dire, c'est propre et rapide, et... écoutez, tuer ne m'intéresse pas tant que ça. Vous me direz comment ça marche? Je suppose que je ne peux pas démonter celui-là non plus, mais... »

Il posait question sur question. Le disrupteur l'enthousiasmait encore plus que l'outil producteur d'électricité peut-être parce qu'il comprenait – plus ou moins – les principes de base du générateur, mais l'idée de détruire de la matière au moyen d'un pompage optique le déroutait. Mirtin l'expliqua de son mieux. Il se servit d'analogies et d'images, et même de quelques échappatoires quand la technologie de l'engin dépassait sa propre compréhension. Charley connaissait déjà les lasers, mais il les envisageait comme de grosses machines requérant un apport de lumière. Ce qui l'intriguait chez celui-ci, c'était d'abord sa petite taille et ensuite sa nature autonome. D'où provenait le rayon lumineux? Où était la source? Était-ce un laser chimique, un laser à gaz ou quoi?

« Ni l'un ni l'autre, répondit Mirtin. Il ne fonctionne pas selon les principes des lasers portatifs que la Terre possède actuellement.

– Alors... quoi...?

Mirtin garda le silence.

« C'est un truc qui ne doit pas nous être dit? Un truc que nous avons à découvrir par nous-mêmes?

– Jusqu'à un certain point, oui. »

Charley débordait de curiosité. Ils parlèrent un moment; puis Mirtin parut visiblement fatigué. Le jeune garçon se prépara à partir.

« Je viendrai demain », promit-il – et il s'en fut d'un pas léger dans la nuit.

Au bout d'un moment, Mirtin découvrit que le disrupteur avait disparu. Il avait vu Charley le ranger avec les autres outils, ou du moins avait-il cru le voir faire; mais le disrupteur n'était plus là. Mirtin fut saisi d'inquiétude, pas longtemps. En un sens, il s'était attendu à quelque chose de ce genre. C'était le risque qu'il avait couru en montrant ses outils à Charley.

Charley se servirait-il du disrupteur comme arme? Cela ne risquait guère.

Le montrerait-il à quelqu'un d'autre? Sûrement pas.

Essaierait-il de l'ouvrir pour en étudier le mécanisme? Très probablement, Mirtin en convenait.

Toutefois, il fut incapable d'y voir une menace pour qui que ce soit. Que le gamin l'ait donc, pensa-t-il. Il a des chances d'en tirer profit. Et de toute manière je n'y puis rien changer maintenant.

XIV

VORNEEN avait commencé à se demander avec étonnement comment c'était arrivé – et quand. Il était amoureux de Kathryn Mason, impossible d'en douter. Ce qu'il ressentait à son égard était aussi puissant que ce qu'il éprouvait pour Mirtin et Glair et, puisqu'il les aimait, il aimait donc Kathryn. Mais était-ce possible? Était-ce explicable? Où cela avait-il pris naissance?

Il avait voulu, bien sûr, avoir des relations sexuelles avec elle, dès le début. Mais ce n'était pas du tout la même chose que de l'aimer.

Vorneen était par nature un séducteur. C'était son rôle dans le groupe sexuel : il était le prédateur, l'agresseur qui amorçait les unions. Mirtin n'assumait jamais un rôle actif, tandis que Glair provoquait l'activité sexuelle seulement par l'aspect féminin de qui guérit, console, rassure. Vorneen cherchait la passion pour elle-même. C'était acceptable et, de plus, nécessaire à la continuité du groupe. A l'intérieur du groupe, il allumait, galvanisait. S'il trouvait parfois nécessaire de sortir du groupe, ni Glair ni Mirtin n'objectaient. Pourquoi l'auraient-ils fait?

Évidemment, tout cela était la conséquence des mœurs dirnanes et du type d'activités sexuelles spécifiques des Dirnans. Vorneen n'avait jamais envisagé la possibilité d'étendre ses séductions à un être féminin natif de la Terre. Comme tous les observateurs, il présumait n'avoir jamais l'occasion d'entrer en contact avec un Terrien et il n'avait certainement jamais imaginé qu'il pourrait se trouver en situation aussi intime qu'il l'était avec Kathryn Mason. Pas plus que ne lui avait traversé l'esprit l'idée qu'il pourrait désirer physiquement une femme de la Terre.

Toutefois, il portait un corps de Terrien. Ce corps était parfait sur le plan anatomique, du moins extérieurement. Les pulsions internes de ce corps étaient purement dirnanes, Vorneen en était persuadé; son corps pouvait ingérer de la nourriture terrestre, cependant si Vorneen mangeait quelque chose d'aimé par les Terriens mais qui rend les Dirnans malades, il tomberait malade. Il avait supposé, aussi, que la nature sexuelle gouvernant son enveloppe externe demeurerait purement dirnane. Il continuait à éprouver du désir pour Mirtin et Glair, quand bien même ils étaient dissimulés sous de la chair terrienne synthétique. Quand ils avaient fait l'amour à bord du vaisseau, il l'avait fait à la mode dirnane, sans se servir de leurs organes sexuels externes de type terrien. Alors pourquoi se serait-il attendu à ce que son imitation de corps terrien éprouve du désir authentique pour une Terrienne?

Était-ce simplement ses pulsions internes, ses pulsions de Vorneen, qui cherchaient un exutoire dans un contexte différent?

Oui, c'est cela, avait-il pensé d'abord. Séducteur, il était conditionné pour séduire et ses pulsions étaient accordées au contexte approprié. Sans Dirnans sous la main, il devait se contenter de cet élément féminin terrien.

Et il y avait l'instinct du défi à relever. Pourrait-il la séduire comme il en séduisait tant d'autres de sa propre race? Son corps actuel fonctionnerait-il convenablement? Quel résultat obtiendrait-il? A elle donnerait-il du plaisir? Y aurait-il du plaisir pour lui-même?

Un jeu, donc. Pas de contenu émotionnel. La séduction pour séduire, la poursuite simplement pour découvrir certains aspects de sa condition présente.

Ce n'était pas de l'amour, Vorneen le savait. C'était du sport.

Alors comment cet élément de sentiment – cet élément importun, inattendu, embarrassant – s'était-il intégré à la situation?

Tout avait commencé à un moment donné au cours de la seconde semaine de son séjour chez elle. Il parvenait à reconstituer le schéma du processus, mais pas la séquence émotionnelle. Il savait ce qu'il avait fait, mais pas comment ni pourquoi. Surtout pas pourquoi.

Depuis le jour où Kathryn était allée au bureau du Culte du Contact, Vorneen était nettement conscient qu'elle connaissait son origine extra-terrestre. Bien sûr, elle avait dû se rendre compte de ce qu'il était presque dès le premier moment où elle s'était mise à le soigner; c'était une femme intelligente et le corps de Vorneen n'était sous la surface que l'imitation approximative de celui d'un Terrien. Elle pouvait déduire du seul métabolisme – la température de son corps, l'absence de tout besoin d'excréter les déchets – qu'il était un non-humain. Mais jusqu'à ce jour Kathryn n'avait manifesté par aucun signe qu'elle savait. Il avait vu l'expression de ses yeux, toutefois, quand elle avait jeté sur son lit le paquet de documentation du Culte du Contact. Il avait écouté les mots entre ceux qu'elle prononçait quand elle lui avait parlé de sa visite au quartier général du Culte. Indubitablement, elle lui disait : « Ces gens sont des imposteurs, mais *moi* je sais à quoi ressemble un extra-terrestre parce que j'en ai un dans ma maison! » Plus question de faire semblant, donc. Elle ne chercha pas à exploiter ce qu'elle savait; elle ne parla pas de l'origine de Vorneen, ni ne posa une seule question; mais elle savait et il savait qu'elle savait – et maintenant ils étaient en deçà d'une certaine barrière qui les avait séparés.

Cependant elle demeurait sur la réserve. Elle continuait à dormir dans l'autre pièce. Quand elle lui faisait sa toilette ou pansait sa jambe cassée, la vue de son corps nu la troublait manifestement. Vorneen diagnostiqua avec justesse le dilemme sexuel de Kathryn, en dépit du fait que ses conclusions étaient purement intuitives et sans relation avec aucun schéma de conduite dont il avait eu connaissance chez les Dirnans. Elle le désirait et, néanmoins, avait peur de lui – avait peur de son propre désir de lui. Alors elle gardait ses distances.

La première fois, quand il avait suggéré qu'elle vienne coucher avec lui, il souffrait terriblement, encore endolori et meurtri par son atterrissage, encore sous le coup du choc et paralysé par l'éventualité presque certaine de la mort de Glair et probable de celle de Mirtin. Il avait besoin de réconfort. Il avait besoin d'une présence. Eh bien, ça, elle le lui avait refusé; mais elle lui avait tenu la main – et cela avait fait l'affaire.

Après quoi, toutefois, il avait souhaité davantage. Il avait eu envie qu'elle soit assez près pour pouvoir exercer sa séduction sur elle. Mais à cela, naturellement, elle n'avait pas voulu se prêter.

Il regretta de ne pas en savoir plus sur les croyances locales en matière de sexualité. Il avait étudié les tabous tribaux terriens, évidemment, pendant ses stages d'instruction et pendant les dix années passées à observer ces gens du haut du ciel, il en était venu à connaître un peu ce qu'ils pensaient sur le sujet. Mais il y avait des lacunes et présentement elles se révélaient des lacunes fâcheusement profondes.

Le compagnon de Kathryn était mort. Son mari; ils n'avaient qu'un compagnon à la fois, toujours du sexe opposé, dans le groupe sexuel accepté par la société d'ici. Elle était une « veuve ». La coutume exigeait-elle des veuves qu'elles demeurent chastes pendant une certaine période de deuil? Et auquel cas, pour combien de temps? Son mari était mort depuis un an.

Il y avait un enfant dans la maison. Tout commerce charnel était-il prohibé à une distance donnée d'un enfant? Était-il nécessaire d'envoyer l'enfant ailleurs – ou de se rendre eux-mêmes dans un endroit autorisé pour accomplir l'acte?

Et les rites religieux? Précédaient-ils invariablement toute consommation physique?

Vorneen ne connaissait pas les réponses. En son for intérieur, il soupçonnait que Kathryn était libre de se donner à lui quand cela lui plaisait et qu'elle ne parvenait pas à s'y décider.

Elle était pudique, c'est certain. Son attitude envers sa nudité à lui était complexe, car il avait appris qu'elle appartenait naguère à une caste sociale – les infirmières – dans laquelle les jeunes femmes étaient autorisées à voir et à manipuler sans inhibition des malades de sexe masculin. Donc ses réactions à demi voilées au corps de Vorneen provenaient d'un conflit de désirs purement personnel, non de la violation d'un tabou tribal.

Elle lui dissimulait son corps à elle. Dans les nombreux jours qu'il avait vécus, ici, Vorneen avait vu une fois la nudité de Kathryn, et seulement par accident. C'était arrivé un soir après le dîner. Vorneen lisait; l'enfant dormait; Kathryn était dans la baignoire. Tout à coup, l'enfant s'était réveillée d'un rêve effrayant et s'était mise à crier. Vorneen, immobilisé dans le lit, ne pouvait rien faire. Mais Kathryn avait laissé ouverte la porte de la salle de bains pour être à même d'entendre ce genre de bruit, précisément. Vorneen la vit se précipiter dans le couloir, nue et luisante d'humidité, momentanément visible dans l'encadrement de sa porte quand elle passa en courant vers la chambre de Jill. Après avoir calmé l'enfant, elle avait battu en retraite tout aussi vite. Néanmoins il l'avait vue. Son corps était bien différent de celui que Glair avait choisi pour elle-même. Glair avait étudié à fond les préférences sexuelles nord-américaines et avait dessiné un corps prévu pour produire le maximum d'attirance érotique. Kathryn, qui devait se contenter de son héritage génétique, était loin d'atteindre l'opulence de Glair. Kathryn était plus grande, avec de longues jambes minces, des fesses plates, de petits seins. Son corps semblait bâti pour la vitesse et la force, plutôt que pour la douceur.

Vorneen n'y voyait pas d'inconvénient. Les critères selon lesquels Glair avait dessiné son corps ne se trouvaient pas être les critères de beauté féminine préférés par Vorneen, les gens de la Terre avaient une forme tellement étrangère pour lui qu'il n'avait pas de critères du tout. Pour lui, Kathryn était aussi belle que Glair. Plus, peut-être, puisque Kathryn était authentique et Glair seulement une belle réplique.

Il souhaitait que Kathryn se montre moins prude en ce qui concernait son corps.

Il souhaitait qu'elle entre un soir dans sa chambre, dans tout l'éclat de sa nudité, et se donne à lui.

Cela se produisit, bien sûr. Mais cela se produisit sans plan préalable et sans guère de recours à ses ruses habituelles.

Sa jambe cassée se ressoudait rapidement et il sentit le moment venu d'essayer ses forces. Il s'était prélassé au lit assez longtemps. Puisque le communicateur de sa combinaison spatiale avait été brisé dans le choc de son atterrissage, il devait se lever et sortir s'il espérait être récupéré un jour par une équipe de sauvetage – et il avait l'impression que sa jambe était peut-être déjà capable de supporter son poids. Un soir, après que Kathryn s'était endormie, il repoussa les couvertures et balança ses deux jambes par-dessus le bord du lit.

Il fut pris de vertige pendant un instant. Depuis qu'il était alité, c'était la première fois qu'il tentait de se mettre véritablement en position assise. Il haleta et se cramponna au bord du matelas un moment tandis que son corps s'habituait.

Puis, délicatement, il posa la plante de ses pieds sur le sol.

Vorneen se figea dans une parfaite immobilité. Il se représentait la jambe cassée pliant et se rompant dès qu'il exercerait une pression sur elle. Son corps extérieur entier était peut-être artificiel, mais il était relié par des nerfs à son moi intérieur dirnan; comme Vorneen avait eu amplement l'occasion de le découvrir, il éprouvait une souffrance réelle quand il blessait son enveloppe artificielle. Mieux valait attendre peut-être encore quelques jours?

Non.

Il déplaça vers l'avant son centre de gravité, s'agrippa à la table voisine du lit et se hissa sur ses pieds. Doucement, doucement, doucement... Que faisait la jambe? Elle le soutenait? Oui!

Un instant après, une onde d'étourdissement le convulsa comme la décharge électrique d'un orage d'hiver.

Son corps lui donna l'impression de se désintégrer, chaque membre se détachant du tronc. Vorneen poussa une exclamation et plongea fébrilement en avant sur sa bonne jambe, puis exécuta avec hésitation un pas glissé sur sa jambe blessée et finit la manœuvre debout au milieu de la pièce, secoué de tremblements violents et cramponné pour se soutenir au dos d'une chaise providentielle. Il avait l'impression que le sol allait s'entrouvrir et l'engloutir. La tête lui tournait tellement qu'il ne voyait plus clair. Il fit porter tout son poids à la jambe en bon état, si bien qu'elle dépêcha au centre neural de Vorneen une protestation enflammée pour être surchargée de pareille façon après une si longue inactivité. Sa jambe cassée était remise en état, mais il n'avait pas pris en compte la faiblesse de ses muscles, le chaos dans son système nerveux, conséquence de tant de jours passés couché. Momentanément désorienté, il n'était même pas capable de rassembler assez de présence d'esprit pour commencer à mettre en veilleuse ses ganglions.

« Qu'est-ce que vous faites? »

Kathryn s'encadrait dans le chambranle de la porte. Elle était vêtue d'une chemise de nuit légère, une nuisette s'arrêtant aux cuisses, qui ne cachait rien de son corps, et son visage était l'image même de l'indignation. Vorneen lutta pour se ressaisir.

« Ma jambe... je l'essayais... »

Elle se précipita vers lui. Il était figé sur place, à deux mètres du lit, incapable de retourner sur ses pas, incapable d'avancer et perdant rapidement même la force de rester debout. Les bras de Kathryn l'enlacèrent, l'étayèrent. Le soulagement envahit son organisme. Elle l'empoignait avec énergie et, au même instant, il lâcha la chaise et commença à tomber. Kathryn réussit à absorber l'élan de sa chute et à le soutenir juste assez longtemps pour qu'ils fassent ensemble trois pas trébuchants et s'affalent sur le lit.

Ensemble.

Il était nu et elle portait seulement une épaisseur de tissu d'un millimètre. Ils atterrirent en une masse confuse, riant et haletant, Kathryn au-dessus de lui; plus par accident que par autre chose, leurs lèvres se touchèrent et soudain, comme s'il avait ouvert un conduit sensoriel reliant directement leurs corps, il sentit le feu qui brûlait en elle et comprit qu'elle était sienne.

Comment faisait-on l'amour avec une Terrienne? Où étaient les zones d'excitation?

Vorneen battit frénétiquement le rappel de la théorie qui lui restait en tête.

Vainement; bien qu'ayant à son actif un millier d'aventures amoureuses, il était déconcerté et désarçonné par cette rencontre inattendue. Ses mains s'élancèrent sur elle. Mais vers où? Les coudes, les seins, les épaules, les genoux, les fesses? Il découvrit que cela n'avait pas d'importance. Kathryn était prête. Elle arracha sa chemise. Sa chair était comme du feu contre lui. Dont le corps réagit à l'unisson, ce qui résolvait une question qui l'avait inquiété.

Elle le couvrit de sa chaleur.

Il connaissait l'anatomie, mais pas la méthode pour effectuer la consommation. Il l'apprit très rapidement. Ce qu'il ne connaissait pas ensuite était l'accroissement du plaisir : à quel moment lui, Vorneen, était-il censé s'arrêter? Il l'apprit aussi quand Kathryn poussa un cri d'extase – et ses propres réflexes fournirent la réponse finale.

Ensuite elle se cramponna à lui, pleurant, déposant des baisers sur sa peau fraîche.

Après quoi, elle s'écarta et le sermonna pour avoir quitté le lit. « Tu aurais pu te blesser! Qu'est-ce que tu t'imaginais faire?

– J'essayais ma jambe.

– Tu ne devrais pas marcher avant des semaines.

– Je n'en suis pas si certain. Mon os s'est soudé. Je me suis trouvé en mauvaise posture parce que j'ai été pris de vertige.

– Guéri si vite?

– Tout juste.

– Mais c'est impossible! Il ne pouvait pas... aucun os cassé ne pourrait...

– Aucun os humain.

– Mais tu n'es pas...

– Non.

– Dis-le.

– Je ne suis pas humain, Kathryn.

– Oui. Je voulais te l'entendre dire.

– Et si je n'avais pas quitté le lit, tu ne serais pas entrée me ramasser et nous n'aurions pas...

– Non.

– Je suis content, Kathryn. Je ne me repens pas du tout.

– Moi non plus. » D'un ton de défi. « Seulement... j'ai peur, Vorneen.

– De quoi?
– Je ne sais pas. » Elle lui prit la main qu'elle posa sur ses seins. « Ce que nous avons fait... ce que tu es... si tu n'es pas humain, comment as-tu pu faire l'amour?
– Les gens qui ont fabriqué mon corps connaissaient bien leur métier, je pense.
– Qui ont *fabriqué* ton corps?
– Mon corps externe. Mon déguisement. A l'intérieur, il est différent.
– Vorneen, je suis perdue. Explique-moi...
– Plus tard. Nous avons du temps devant nous pour parler. Pas maintenant.
– Je me sens si bizarre, Vorneen. Comme si j'avais traversé un fleuve et me trouvais en pays étranger, dans un endroit où je ne suis jamais allée, et je ne sais pas où il est, je ne sais pas où je suis.
– Te plais-tu où tu es, quel que soit cet endroit?
– Je pense que oui, dit-elle.
– Alors pourquoi te tracasser? Tu pourras toujours prendre une carte du pays à un autre moment. »
Elle rit. Elle l'enlaça.
« As-tu toujours la tête qui tourne? questionna-t-elle.
– Pour des raisons différentes, maintenant.
– Et ta jambe? Tu ne l'as pas abîmée de nouveau pendant que tu te tenais dessus?
– Non.
– Ni pendant que nous...
– Non. Surtout pas à ce moment-là. »
Il la tint serrée contre lui. Il se sentait plus détendu qu'il ne l'avait été depuis que les ennuis avaient commencé à bord du vaisseau. Et il avait obtenu la réponse à la plupart de ses questions sur le corps qu'il portait. Ce corps réagissait; il pouvait donner du plaisir. Sur le plan fonctionnel, Vorneen était suffisamment terrien pour les besoins de l'heure. Il jugeait cela vraiment remarquable. Il jugeait encore plus remarquable la fougue que pouvait déployer Kathryn, une fois qu'elle se laissait aller à montrer ses émotions.
Ils dormirent peu cette nuit-là et Vorneen en apprit encore davantage sur les techniques érotiques nord-américaines. Vers le matin, il entendit Kathryn murmurer

d'une voix ensommeillée : « Je t'aime, Vor, je t'aime, je t'aime! »

Eh bien, cela fait peut-être aussi partie des rites, se dit-il. Il se demanda s'il ne devait pas répliquer de même et conclut que non. En tant qu'être d'un autre monde, il n'était pas tenu d'observer les coutumes locales – et il risquait de paraître trop peu sincère s'il essayait. Le séducteur qui réussit, avait-il appris dans sa jeunesse, est toujours sincère... là où la sincérité est appréciée.

Après cela, Kathryn dormit dans son lit toutes les nuits et ce furent des nuits animées en vérité. Le jour, elle l'aidait à réapprendre à marcher. Elle lui donna une canne pour s'appuyer dessus, mais il préférait s'appuyer sur son bras; il secoua sa sensation de vertige, reconstitua sa musculature, commença à se déplacer avec une certaine assurance. Sa jambe boitait encore, mais cela s'arrangerait. Kathryn lui avait prêté un peignoir pour s'habiller, évidemment afin que la bienséance soit respectée devant la fillette; Kathryn, quant à elle, ne semblait désormais retenue par aucun tabou. Il la regardait devenir de plus en plus radieuse jour après jour, nuit après nuit.

Elle parlait beaucoup du grand amour qu'elle lui portait. Elle parlait très peu de l'endroit d'où il était venu et de ce qu'il pouvait bien faire sur Terre.

Vorneen prenait ces propos d'amour avec détachement, comme faisant partie du jeu. Mais, un beau jour, il découvrit que lui aussi avait passé un pont et que ce qui avait été à ses yeux un sport s'était transformé en union sentimentale. Il s'en aperçut quand il songea qu'il allait peut-être d'ici peu revenir parmi les siens. Epatant – puis il eut un serrement de cœur d'une violence inattendue à la pensée que cela impliquait de quitter Kathryn. Il ne voulait pas se séparer d'elle. Il souhaitait activement rester avec elle. Il considérait avec désarroi l'idée d'une séparation. Ce qui signifiait qu'il était tombé amoureux d'elle.

Comment cela s'était-il produit?

C'était impensable. Vorneen était différent de Kathryn sur le plan biologique. Il avait couché avec elle simplement pour découvrir si la chose était possible. Ces assauts et ces grognements... comment pouvaient-ils créer un lien émotionnel entre un être de la Terre et un être de Dirna? L'idée même était déconcertante à un point inexprimable. Il savait que certains Dirnans considéreraient cette relation comme perverse, tandis que d'autres lui feraient brûler la cervelle sur-le-champ. Il se sentait impuissant devant les événements. Il n'avait pas voulu cela.

Amoureux? D'une Terrienne?

Les accords ne prohibaient pas nommément les relations sexuelles entre les observateurs et les observés, parce que ceux qui avaient établi les accords n'avaient jamais envisagé la possibilité que ce genre de relations s'établisse. Vorneen n'éprouvait guère de réconfort à se dire que sa conduite n'était pas illégale en théorie. Bientôt, il en avait l'impression, il allait quitter la Terre. Qu'adviendrait-il alors de Kathryn? Et de lui-même?

XV

LA mission de sauvetage se composait de six Dirnans, par deux équipes de trois. Chacune comprenait un groupe sexuel complet réparti en éléments : masculin-féminin-féminin dans un cas, masculin-féminin-masculin dans l'autre. Ils entrèrent au Nouveau-Mexique le lendemain de l'explosion et commencèrent à passer l'État au peigne fin pour trouver les trois survivants éventuels. La tâche leur aurait été facilitée s'ils avaient eu pour les guider les signaux des communicateurs.

Ils n'avaient comme repère que des probabilités, plus un seul signal extrêmement déformé. Les ordinateurs, calculant toutes les possibilités, avaient conclu que les trois Dirnans devaient avoir tous touché terre approximativement au centre de l'État : un dans le voisinage d'Albuquerque, un plus près de Santa Fe, et un à l'ouest de la ligne reliant les deux autres, formant ainsi un triangle vaguement équilatéral. Mais le mieux que pouvaient offrir les ordinateurs comme localisation était la délimitation d'une zone ayant une marge d'erreur inhérente de ± 30 kilomètres. Ce n'était guère encourageant.

L'équipe de secours conduite par Furnil et ses deux compagnons avait un léger avantage sur l'autre groupe. Venant du nord, ils étaient guidés par le blip-blip assourdi, vacillant, du communicateur endommagé et, ainsi, ils avaient au moins un point de départ. Le signal du communicateur émergeait comme un bruit vague, étiré sur de trop nombreuses longueurs d'ondes, mais il fournissait dans une certaine mesure un indice. Il leur disait que l'un des trois Dirnans qui étaient tombés sur Terre avait presque très certainement touché le sol à peu de kilomètres du Rio Grande, quelque part pas trop loin au sud de Santa Fe, et qu'il était toujours vivant – car le communicateur devait être remis en marche chaque fois qu'un signal avait été émis.

Toutefois, le découvrir n'était pas une mince affaire. Les Dirnans avaient immédiatement établi leur poste local d'exploration dans un motel de la grande banlieue de Santa Fe et installé leur matériel portatif de détection avec l'espoir qu'ils réussiraient à clarifier ce signal brouillé et à remonter jusqu'à sa source. Ils tentèrent d'éliminer le facteur de distorsion pour limiter leurs vecteurs de recherche. Leurs premiers calculs indiquèrent que l'observateur perdu avait pu descendre dans le voisinage du Pueblo Cochiti, mais cela se révéla inexact – ou, si le Dirnan avait atterri là, les Indiens tenaient le fait bien caché. Une correction fondamentale dans les vecteurs plaça la situation de l'observateur de l'autre côté du Rio Grande, près des ruines du Pueblo Pecos. Une rapide expédition là-bas ne donna rien et un nouvel examen démontra que c'était une erreur complète. Le signal venait de la rive ouest du fleuve.

Ils continuèrent à chercher.

L'autre groupe, partant d'Albuquerque, n'avait absolument rien pour se guider excepté l'affirmation des ordinateurs qu'ils devaient chercher dans cette région. Leurs instruments gardaient un silence total. Ils durent utiliser d'autres méthodes : questionner avec circonspection, étudier des rapports de la police et de l'armée, insérer dans les journaux des petites annonces astucieusement rédigées. Cela ne donna aucun résultat.

Ce groupe était dirigé par un élément masculin nommé Sartak, qui arborait un corps terrien robuste, viril à l'excès. Ses compagnons étaient deux Dirnanes, dont l'une était légèrement plus âgée que lui, l'autre une jeune dont c'était la première mission d'observation et aussi le premier groupe sexuel. Leurs noms étaient Thuw et Leenor. Leenor avait un air agréablement candide qui la rendait utile comme poseuse de questions. Sartak l'envoya au bureau que le Culte du Contac avait à Albuquerque pour voir si elle dénicherait quelque chose d'intéressant. Comme tous les Dirnans, Sartak nourrissait un profond mépris pour le néant cynique de l'organisation de Frederic Storm; mais restait toujours la très faible possibilité qu'un habitant de la région, ayant découvert un galactique blessé, choisisse de signaler le fait au Culte plutôt qu'aux autorités militaires. Sartak ne pouvait pas se permettre de négliger la moindre piste.

Il était en train de programmer un de ses instruments de détection plus tard ce jour-là quand Leenor téléphona, tout excitée.

« Je sors du Culte du Contact, dit-elle d'une voix haletante. Ils ne connaissent rien à rien, là-dedans. Mais... oh, Sartak, il faut que nous fassions quelque chose!

– A propos de quoi?

– De l'espion kranazoï! »

Sartak darda un regard furieux sur l'écran du téléphone. « Le *quoi*?

– Il était aussi au bureau du Culte. Je l'ai senti à l'autre bout de la salle. Il dit s'appeler David Bridger, il est gras et horrible et il recherche aussi les survivants!

– Comment as-tu découvert ça?

– En écoutant sans avoir l'air de rien. Je ne lui ai pas adressé la parole. Je ne pense pas qu'il m'ait remarquée. Je suis sûre que non, Sartak. »

Sartak relâcha son souffle dans un long et lent sifflement de dégoût. Un membre de l'ennemi mêlé aussi à cette histoire! La vie n'était donc pas assez difficile comme ça?

Il demanda : « Sais-tu où il loge?

– A un motel pas loin du nôtre. Le nom est... Je l'ai écrit ici...

– Qu'est-ce que c'est? »

Elle trouva le bout de papier et le lui dit. Sartak prit note. Puis il déclara : « C'est ennuyeux, mais nous en tirerons le meilleur parti possible. Leenor, va à son motel et arrange-toi pour qu'il te fasse du plat. Joue les idiotes... comme d'habitude. Je doute qu'il essaie de coucher avec toi, mais dans ce cas-là montre-toi coopérative. Et découvre tout ce qu'il sait. Il possède peut-être déjà des renseignements qui nous serviront.

– Et s'il s'aperçoit de ma vraie nature?

– Il ne s'en apercevra pas. Les Kranazoïs n'ont pas notre odorat. Il n'a aucun moyen de savoir ce qu'il y a sous ta peau et, très probablement, il ne fréquente pas assez de vrais Terriens pour discerner que tu es artificielle. Tu n'as qu'à rester très calme, ris beaucoup et écoute attentivement tout ce qu'il dit.

– Mais s'il s'en aperçoit quand même, Sartak?

– Tu es armée d'une grenade " antipersonnel ", hein? [1]. Nous agissons sous le couvert des accords ici, mais pas lui. S'il entame le moindre geste hostile, tue-le.

– Le *tuer*!

– Tue-le, répéta Sartak avec une brutalité voulue. Je sais, je sais, nous sommes tous des êtres civilisés ici. Mais nous sommes des sauveteurs et lui est un gêneur. Fourre la grenade dans son gros ventre et laisse-le griller, Leenor. Si nécessaire, bien entendu. C'est clair? »

La jeune femme paraissait un peu abasourdie.

« C'est clair », dit-elle.

1. Antipersonnel : matériel destiné à tuer, blesser ou contrecarrer le « personnel militaire ». *(N.d.T.)*

XVI

CHARLEY ESTANCIA gardait le laser dirnan constamment sanglé contre son ventre, même quand il dormait. Il n'osait pas l'abandonner hors de sa portée. Le laser était assez petit pour ne pas faire bosse sous ses vêtements, surtout s'il laissait flotter ses pans de chemise. Le métal froid contre sa peau était rassurant.

Il savait qu'il n'aurait pas dû le voler à Mirtin. Mais il avait été incapable de résister. Le petit outil l'avait tellement fasciné qu'il l'avait empoché pendant que Mirtin regardait ailleurs. Il espérait que l'homme descendu des étoiles lui pardonnerait ce vol, mais il n'en était pas certain.

Le pire était que Charley n'arrivait pas à s'arranger pour quitter le village en ce moment. Les danses de la Société du Feu étaient en cours et s'esquiver était trop dangereux. Tout le monde devait être présent. On était en train d'organiser les initiations, on choisissait les nouveaux postulants et on les emmenait dans la kiva pour marmonner sur eux les formules à demi oubliées, puis on ressortait pour exécuter la danse du feu et la danse des avalages de bâton. Charley ne s'attendait pas à être choisi pour devenir membre de la Société du Feu; tout un chacun dans le pueblo savait qu'il était un perturbateur – et mieux vaut tenir les perturbateurs en dehors des sociétés secrètes. Mais il y avait toujours le risque qu'on l'ait choisi pour l'initiation cette année auquel cas, si on ne le trouvait pas, il aurait de sérieux ennuis.

Il était donc obligé de rester sur place et de laisser Mirtin se débrouiller seul. Il doutait que Mirtin meure de faim ou de soif; ce qui tracassait vraiment Charley, c'était l'idée de Mirtin couché là-bas et ruminant que Charley avait volé son laser et l'avait abandonné, après toutes leurs conversations amicales. Charley n'avait pas eu l'occasion d'expliquer cette histoire de danse de la Société du Feu. Il avait mal calculé, croyant qu'elle commencerait un jour plus tard; il avait projeté d'en parler à Mirtin avant, mais maintenant il ne le pouvait pas. Le cœur gros, il rôdait dans le village avec l'espoir de dénicher un moyen de filer en douce. Le village était maintenant plein de touristes. Des appareils photos partout, des femmes blanches bien grasses qui disaient aux enfants comme ils étaient mignons, des maris qui avaient l'air de s'ennuyer. Les touristes allaient n'importe où même dans les maisons des gens. Ils seraient allés aussi dans la kiva si le gouverneur du pueblo n'avait posté deux garçons musclés pour garder l'entrée.

Dans les rares moments de solitude qu'avait Charley, il examinait l'outil qu'il avait volé.

Il hésitait à essayer de le démonter; pas encore, en tout cas. Ce qu'avait dit Mirtin à propos de Terrien apprenant des choses qu'il n'est pas censé apprendre ne faisait ni chaud ni froid à Charley, mais il craignait de démolir le laser en l'ouvrant. Il voulait d'abord l'étudier en détail à l'extérieur pour voir comment il fonctionnait.

Il s'en servit pour couper en deux une bûche épaisse. Il le braqua sur un rocher et regarda le grès fondre et devenir flaque. Il creusa un fossé de trente centimètres de profondeur et de trois mètres de long. Il commit quelques erreurs, dépassant sa cible ou attaquant une zone trop large, mais il maîtrisa en une heure le maniement du dispositif précis de commande. Quel instrument, pensa-t-il. C'est un vrai petit miracle. Ces gens des étoiles, ils sont vraiment forts! Il aurait aimé pouvoir aller sur la planète de Mirtin pour la voir. Et étudier à l'école là-bas.

Deux jours passèrent de cette façon.

Les danseurs de la Société du Feu vinrent chercher Tomas Aguirre, le gros abruti. Ils l'initièrent, puis ils vinrent prendre Mark Gachupin. D'ordinaire, ils ne choisissaient que trois nouveaux membres chaque année.

Charley se demanda ce qu'il ferait s'ils venaient pour lui. Irait-il avec eux et poufferait-il de rire au beau milieu des rites sacrés? Ou tournerait-il simplement les talons et s'enfuirait-il? Ils l'aborderaient en l'appelant par son nom indien, Tsiwaiwonyi, le nom dont il ne se servait jamais. Quelques-uns parmi les gens âgés essayaient d'appeler tout le monde par des noms indiens, mais Charley s'en tenait aux noms chrétiens. Ils diraient : « Tsiwaiwonyi, accompagne-nous à la kiva », et lui resterait planté là, bouche bée.

Mais, bien sûr, ils ne vinrent pas le chercher. Ils ne voulaient pas de lui. Le matin du troisième jour, ils emmenèrent José Galvan et Charley sut qu'il était tranquille encore pour un an. Maintenant il pouvait se rendre dans le désert, s'excuser auprès de Mirtin et lui expliquer ce qui se passait pour la cérémonie – et peut-être même lui rendre le laser parce que Charley avait de gros remords de l'avoir emporté. Il emballa une pile de tortillas, remplit un bidon et quitta discrètement le village pendant que personne ne regardait de son côté.

Il était à mi-chemin de la grotte de Mirtin quand il se rendit compte qu'il était suivi.

Il entendit d'abord craquer des brindilles sèches derrière lui. Ce pouvait être n'importe quoi, depuis un lièvre rentrant au gîte jusqu'à un lynx cherchant son déjeuner. Charley s'arrêta et se retourna, mais ne vit rien d'anormal derrière lui. Il restait sur le qui-vive, néanmoins. Encore trois mètres et il eut l'impression d'avoir entendu une toux étouffée. Les lièvres ne toussent pas. Charley pivota subitement sur ses talons et vit la longue forme maigre de Marty Moquino une dizaine de mètres derrière lui.

« Salut », dit Marty. Il jeta sa cigarette et en prit une autre. « Où vas-tu, Charley?

– Me promener.

– Tout seul en plein hiver?

– Ça ne te regarde pas, ce que je fais », répliqua Charley. Il essaya de masquer sa panique. Pourquoi Marty l'avait-il suivi depuis le pueblo? Marty connaissait-il l'existence de la grotte et de son occupant? S'il la découvrait tout serait fini pour Mirtin. Marty le vendrait au Gouvernement sûr et certain. Ou aux journaux.

Marty Moquino déclara : « Si tu m'emmenais là où tu vas?
– Je vais simplement me promener.
– Oui. Et tu te trouves te promener comme ça aussi tous les soirs. Je t'ai surveillé, gamin. Qu'est-ce qu'il y a là-bas, hein?
– R-rien.
– Et qu'est-ce que tu as dans ce paquet que tu transportes? Laisse-moi y jeter un coup d'œil. »
Marty avança de deux pas. Charley serra solidement ses tortillas enveloppées et recula. « Laisse-moi tranquille, Marty. Je n'ai rien à faire avec toi.
– Je veux savoir ce qui se passe.
– Je t'en prie, Marty...
– Tu as un ami caché là-bas? Un prisonnier évadé, par exemple, dont tu t'occupes? Ça se pourrait que sa tête soit mise à prix, hein? Et au lieu de décrocher la récompense, tu es juste assez cinglé pour lui rendre visite. Raconte-moi ça, Charley. »
Charley frissonna légèrement. Marty continuait à marcher sur lui et Charley continuait à reculer, mais cela ne pouvait pas durer longtemps. Et, s'il courait, il ne serait jamais capable de distancer les longues jambes de Marty Moquino. La seule solution était de bluffer.
« Il n'y a rien à raconter, répliqua Charley avec entêtement. Je ne comprends pas ce que tu cherches. »
Un bras maigre s'allongea subitement. Des doigts puissants agrippèrent le gras du bras de Charley. Marty Moquino le dominait de toute sa taille, l'air mauvais et décidé. Il déclara : « Je te surveille depuis le soir où tu as trébuché sur moi et sur Maria. Quand la nuit est tombée, tu prends une gourde, tu prends un paquet qui contient peut-être bien des provisions et tu pars pour le désert. Donc tu as un ami là-bas, hein? Cette fois-ci, tu m'emmènes le voir ou sinon je vais t'en faire repentir.
– Marty...
– Conduis-moi là-bas.
– Lâ-â-â-che-moi... »
Les doigts s'enfoncèrent profondément. Charley grimaça, se démena, réussit à libérer son bras. Il pivota sur lui-même et courut sur une distance d'une douzaine de

pas, puis il s'arrêta. Marty Moquino le suivait, naturellement. Mais Charley sortit le laser de sa cachette sous sa chemise et le braqua vers la poitrine de Marty, exactement comme si c'était un revolver.

« Que diable as-tu donc là? questionna Marty d'un ton péremptoire.

– Un rayon de la mort », répondit Charley. Sa voix tremblait tellement qu'il pouvait à peine prononcer les mots de façon intelligible. « Un jet de ce truc-là brûlera un trou à travers toi. Je parle sérieusement. »

Marty s'esclaffa. « Maintenant je *sais* que tu es cinglé, gamin! »

Il ne bougea pas, toutefois. Charley tenait toujours le laser braqué.

« Fais demi-tour et rentre au pueblo, Marty. Ou je tire. Je te tuerai. Je suis sincère, je t'assure. » Le cœur de Charley battait comme un tambour. Sur le moment, il croyait à ce qu'il disait. Cela lui plairait beaucoup de tuer Marty Moquino. Avec le laser, il pourrait exécuter la besogne si parfaitement qu'on ne retrouverait même pas de cadavre. Il ne serait jamais arrêté pour ça.

Ricanant avec mépris, Marty dit : « Range-moi ce jouet idiot.

– Ce n'est pas un jouet. Tu veux voir? Tu veux que je te brûle la main gauche, pour commencer? »

A présent, Marty se mettait en mouvement. Charley vit sa jambe droite avancer pour effectuer le premier pas.

Il plaça le laser en position de marche et le dirigea vers un gros yucca. Un bref éclair du rayon et le yucca disparut. Le rayon creusa un cratère de trente centimètres de profondeur et d'un mètre de large. Marty Moquino recula d'un bond et fit le signe de la croix.

« Un jouet, hein? s'exclama Charley d'une voix farouche. Un jouet? Je vais te couper les jambes! Je vais te trancher en deux!

– Que diable...

– Allez! File! » Charley régla de nouveau le laser sur la position « marche » et le pointa vers le sol à cinquante centimètres de Marty, de façon que le bord du faisceau roussisse un peu ses bottes. Marty ne resta pas pour attendre plus ample démonstration. Son visage verdit et il se hâta de fuir. Charley n'avait jamais vu personne courir à une vitesse pareille. Il allait, il allait, il dégringolait au fond de l'arroyo, remontait de l'autre côté, longeait la sous-station électrique, s'estompait dans le lointain. Charley lui cria des malédictions tandis qu'il disparaissait.

Puis Charley s'aperçut qu'il était sur le point de s'évanouir tant la tension avait été forte. Il se laissa choir à genoux pendant un moment, jusqu'à ce que son tremblement cesse. Il comprenait qu'il avait été bien près de tuer Marty Moquino. Qu'il ait été un peu plus en colère ou qu'il ait eu un peu plus peur, il risquait de relever de quelques degrés l'angle du rayon et aurait réduit Marty en poussière. Si Charley n'avait pas conservé la maîtrise de lui-même à la dernière minute, il serait maintenant responsable de la mort d'un homme.

Il se redressa et fourra de nouveau le laser hors de vue. Se mordant violemment la lèvre, il fonça vers la grotte de Mirtin. Il ne savait pas trop quelle tournure prendraient les événements. La seule chose dont il était sûr, c'est qu'il devait avertir Mirtin de cette histoire. Marty Moquino avait fui, affolé, mais il pourrait bien revenir, il pourrait revenir fouiner dans les parages. Ce n'était pas prudent que Mirtin reste ici plus longtemps. Il devrait aller dans une autre grotte ou alors s'arranger pour que ses amis l'emmènent. Sans quoi, sûr et certain, Marty Moquino découvrirait son existence d'une manière ou d'une autre et préviendrait les gars du Gouvernement.

Charley gravit en trébuchant la berge du dernier arroyo et se précipita dans la grotte de Mirtin.

Mirtin n'y était pas.

Sous le coup de la stupeur, Charley crut d'abord qu'il s'était trompé de grotte. Mais une seule caverne de ce genre existait dans cette falaise, il le savait. Et à la clarté du jour qui s'insinuait dans la grotte, il voyait l'emplacement qu'il avait creusé dans le sol avec le laser, la dernière fois qu'il était venu ici. C'était la bonne grotte, mais Mirtin avait disparu, ainsi que ce qui s'y trouvait avec lui – sa combinaison spatiale, sa trousse d'outils. Tout. Qu'est-ce qui s'était passé? Où était-il? Il n'avait pas pu se lever et s'en aller; il n'était pas encore capable de se servir de ses jambes. Alors...

Charley vit le billet qui gisait par terre.

C'était un morceau de papier jaunâtre, petit et carré, qui ne donnait pas au toucher la sensation d'être en papier mais plutôt en une substance plastique. Dessus, il y avait quelques mots, tracés dans une sorte de griffonnage informe, comme si la personne qui les avait écrits ne pouvait pas bien se servir de sa main, ou encore ne savait pas très bien comment mouler des mots anglais, ou peut-être les deux. Le billet disait :

> Charley,
>
> Mes amis m'ont enfin découvert. Ils m'emmènent pour terminer le processus de guérison. Je suis désolé de n'avoir pas pu te dire au revoir, mais je ne savais pas qu'ils viendraient si tôt. De tout mon cœur je te remercie des nombreuses bonnes choses que tu as faites pour moi ici.
>
> En ce qui concerne ce que tu m'as emprunté : c'est à toi maintenant. Je ne suis pas fâché que tu l'aies pris. Conserve-le. Étudie-le. Apprends de lui ce que tu peux. Seulement ne le montre jamais à personne. Veux-tu me le promettre?
>
> Garde les yeux ouverts tout le temps, essaie de comprendre le monde et rappelle-toi qu'on n'a pas éternellement onze ans. Une vie merveilleuse t'attend, si tu le veux bien. Un jour prochain, les tiens iront vers les étoiles. J'aime à penser que tu seras parmi eux et que bientôt nous nous y rencontrerons. Jusque-là...
>
> Mirtin

Charley lut la lettre plusieurs douzaines de fois. Puis, soigneusement, il la plia et la mit dans sa chemise, près du laser. Il racla de l'orteil le sol de la grotte.

A haute voix, il dit : « Je suis content que les vôtres vous aient trouvé, Mirtin. Je suis content que vous ne soyez pas fâché pour le laser. »

Puis il se jeta à plat ventre sur la terre grasse de la grotte.

Il n'avait pas pleuré autant depuis sa tendre enfance.

XVII

« DEUX races étrangères qui nous observent, dit Tom Falkner. Eh bien, je suppose que c'est assez logique.

– Et qui s'observent également l'une l'autre », compléta Glair. Elle se tenait près de la fenêtre opacifiée de la chambre de Falkner, nue sans vergogne, appuyée sur deux cannes. Elle s'aventura à faire un pas, puis un autre, un autre encore. Ses jambes se raffermissaient chaque fois qu'elle bougeait. Elle éprouva un optimisme prudent. « Je m'en tire comment? demanda-t-elle.

– Magnifiquement. Tu es dans une forme merveilleuse.

– Je ne pensais pas à ma forme. Je parle au point de vue marche.

– C'est très bien aussi », dit Falkner. Il la rejoignit en riant et fit courir ses mains rapidement, dans un geste possessif, sur les fermes contours de son corps. Le bout de ses doigts s'enfonça dans la souple masse élastique de ses seins. Il murmura : « Je pourrais presque commencer à croire que c'est du vrai.

– Allons, ne perds pas le nord.

– Je t'aime, Glair.

– Je suis quelque chose d'horrible à voir qui vient d'une autre planète et je suis arrivée ici en soucoupe volante.

– Je t'aime quand même.

– Tu es fou.

– Très probablement, répliqua Falkner d'un air béat. Mais que cela ne te tourmente pas. M'aimes-tu, Glair?

– Oui », murmura-t-elle.

Ce qu'il y avait de curieux, c'est qu'elle se savait sincère. Elle avait commencé cette liaison en étant peinée pour Falkner – le pauvre Terrien s'était ligoté par un nombre effarant de nœuds psychologiques – et, parce qu'il l'avait amenée dans sa maison et soignée jusqu'à guérison, elle éprouvait de la reconnaissance à son égard et voulait faire quelque chose pour lui. Il semblait tellement solitaire, troublé, désemparé. Il avait apparemment besoin qu'on lui accorde un peu de sympathie et qu'on restaure sa confiance en soi, ce qui était la spécialité de Glair. La pitié et la gratitude ne sont jamais des bases très solides pour un amour véritable, Glair ne l'ignorait pas, même quand les personnes intéressées appartiennent à la même espèce. Elle ne s'attendait pas à ce qu'un lien se développe ici à partir de ces sentiments. Pourtant, tandis que Falkner prolongeait jour après jour son congé de maladie pour rester avec elle, elle s'aperçut qu'elle s'était mise imperceptiblement à éprouver une véritable affection pour Falkner.

Il avait de la force, sous toute cette amertume. Sa vie avait pris un mauvais tournant quand il avait échoué comme astronaute et plus rien n'était jamais bien allé pour lui ensuite, mais il n'était pas foncièrement la chiffe qu'il paraissait être. La boisson, l'extravagant apitoiement sur soi, la volonté de se créer des obstacles – c'étaient des effets, non des causes. La tendance pouvait être inversée et, une fois qu'elle le serait, le résultat deviendrait un être humain sain de corps, sain d'esprit et à peu près heureux. Dès que Glair eut fait cette constatation, elle cessa de le considérer comme quelque chose de cassé qui a besoin d'être réparé et elle commença à le voir dans une perspective où leurs relations avaient plus de véritable égalité.

Bien sûr, rien de permanent ne pourrait jamais exister entre eux. Elle avait cent ans terriens quand il était né; elle vivrait encore des centaines d'années après sa mort. Elle avait une somme d'expériences infiniment plus vaste qu'il ne pouvait l'imaginer. Même un Terrien d'âge mûr était en réalité un enfant à l'âme innocente auprès du plus ingénu des Dirnans – et Glair était loin d'être une ingénue.

D'autre part aussi, l'union physique était illusoire. Glair éprouvait du plaisir dans son étreinte, oui, mais c'était essentiellement le plaisir de donner du plaisir, associé à une vibration faible, insignifiante, de son système nerveux externe. Ce qu'elle et Falkner faisaient ensemble au lit l'amusait, mais ce n'était pas des rapports sexuels qui avaient une valeur quelconque pour elle en tant que Dirnane. Naturellement, Glair ne lui avait pas dit, mais c'est probable qu'il s'en doutait. Elle avait connu des femmes qui s'amusaient de cette façon avec leurs animaux favoris.

Pourtant, Falkner était plus qu'un animal favori pour elle. En dépit de l'avantage qu'elle possédait sur le plan de l'âge et de la maturité, en dépit de l'allogénéité de leurs natures, en dépit de tout, elle éprouvait une réelle, une chaude affection pour lui. Elle en était surprise, elle en était contente et – parce qu'elle devrait le quitter un jour ou l'autre – elle en était préoccupée.

« Traverse encore une fois la pièce et assieds-toi, lui dit-il. Ne te fatigue pas trop pour commencer. »

Glair hocha la tête, agrippa ses cannes et partit à travers la chambre. Un accès de faiblesse la prit au beau milieu, mais elle attendit qu'il passe et continua sans encombre jusqu'au lit. S'affalant dessus, elle laissa les cannes choir par terre.

« Comment vont les jambes maintenant?

– De mieux en mieux. »

Il lui massa les mollets et le creux des genoux. Couchée, elle se détendit. Les bleus et les bosses qui avaient défiguré son visage pendant les premiers jours avaient tous disparu maintenant. Elle était à nouveau d'une beauté radieuse et elle en était contente. Falkner la caressait d'une façon curieusement chaste, pas du tout comme si c'était le prélude à l'amour.

Il demanda : « Deux races d'observateurs? Dis-m'en plus.

– Je t'en ai déjà trop dit.

– Les Dirnans et les Kranazoïs. Lesquels d'entre vous sont venus les premiers à nous, d'ailleurs?

– Personne ne le sait, répliqua Glair. Chaque côté prétend que ses éclaireurs ont été les premiers à repérer la

Terre. Il y a tellement de milliers d'années de cela que nous sommes bien incapables de l'affirmer en toute sincérité. J'aime à penser que nous avons été les premiers, que les Kranazoïs ne sont que des intrus. Mais c'est peut-être simplement que je commence à croire notre propre propagande.

– Ainsi donc les soucoupes volantes nous regardent depuis l'époque de l'homme de Cro-Magnon, murmura Falkner. Cela explique la roue qu'a vue Ezéchiel, je pense, et pas mal d'autres choses. Mais pourquoi est-ce seulement dans ces trente ou quarante dernières années que nous avons remarqué régulièrement les observateurs? [1]

– Parce que nous sommes bien plus nombreux à présent. Jusqu'à votre XIXe siècle, un vaisseau dirnan et un vaisseau kranazoï surveillaient la Terre et c'était tout. A mesure que votre technologie se développait, nous avons été obligés d'accroître le nombre des observateurs. Vers 1900, nous avions cinq vaisseaux chacun dans vos ciels. Après que vous avez eu la transmission sans fil, nous avons ajouté quelques vaisseaux pour surveiller vos émissions radiophoniques. Puis est venue l'énergie atomique – et nous avons compris que nous avions quelque chose de pas ordinaire sur les bras. Je crois qu'une soixantaine d'observateurs de chez nous étaient postés ici en 1947.

– Et les Kranazoïs?

– Oh, ils marchent de pair avec nous – et nous avec eux. Aucun des deux ne laisse l'autre le devancer ne serait-ce que d'un pouce.

– Une escalade mutuelle d'observateurs, hein? »

Glair sourit. « Exactement. Nous en ajoutons un, ils en ajoutent un. Quelques-uns de plus chaque année, si bien qu'à présent nous en avons... »

Elle s'interrompit.

« Tu peux me le dire, déclara-t-il. Tu m'en as déjà dit tellement.

1. *Cro-Magnon* est un site de la Dordogne (commune des Eyzies-de-Taillac) où a été retrouvé un squelette d'homme préhistorique qui a donné son nom à une race préhistorique, race blanche (époque du Paléolithique : pierre taillée). Ezéchiel est l'un des quatre grands prophètes hébreux (v. 627-v. 570 avant J.-C.) Sa vision des roues est relatée dans la Bible (Ezéchiel : 1-16). *(N.d.T.)*

– Des centaines de vaisseaux pour chaque côté, répliqua-t-elle. Je ne connais pas le chiffre exact, franchement, mais probablement un millier des nôtres et un millier des leurs sont égaillés dans tout le système. Nous y sommes obligés. Vous autres avez avancé si vite. Ce n'est donc pas surprenant que vous ne cessiez d'enregistrer des signalements d'Objets Atmosphériques. Nous fourmillons dans vos ciels et vous avez des appareils de détection sophistiqués. Tu as accès au fichier du C.E.O.A., Tom. Croyais-tu sincèrement que les observateurs étaient des hallucinations, alors que tu connaissais ce que ton propre gouvernement a repéré?

– J'essayais d'en faire abstraction. Je n'avais pas envie d'y croire. Mais maintenant je n'ai pas le choix, n'est-ce pas? »

Elle rit et répliqua : « Non. Tu n'as pas le choix.

– Mais combien de temps vous et les Kranazoïs allez-vous continuer à nous observer?

– Nous ne le savons pas, Tom. Pour tout dire, nous n'avons aucune idée de ce qu'il faut faire avec vous. Votre race est unique dans l'histoire galactique : vous êtes les premiers qui ont appris à s'élancer dans l'espace avant d'avoir appris à maîtriser leurs instincts belliqueux. Nous n'avions jamais eu jusqu'à présent de race immature capable de construire des véhicules spatiaux et des armes à fusion. D'habitude, la maturité morale vient dans les deux mille ans avant la maturité technologique. Mais ce n'est pas le cas ici.

– Pour vous, nous sommes une bande d'enfants dangereux, c'est ça? » demanda Falkner en rougissant.

Glair s'efforça d'adopter un ton malicieux pour répliquer : « J'en ai peur. Des enfants sympathiques, toutefois. Certains d'entre vous. »

Il ne prêta pas attention à sa tendre caresse.

« Vous continuez donc à nous observer. Chacun de vous a sa sphère d'influence galactique et chacun de vous aimerait nous attirer dans sa sphère, mais vous n'osez pas. Et chaque côté a peur que le côté opposé ne parvienne d'une manière ou d'une autre à des accords avec nous. Alors, en réalité, vous ne nous surveillez pas du tout. Vous vous surveillez mutuellement.

– Les deux. Nous avons toutefois conclu un accord concernant la Terre. Un pacte. Ni les Dirnans ni les Kranazoïs ne sont autorisés à se poser sur Terre, ou à entrer en contact depuis l'espace avec des Terriens. Le mot d'ordre strict est « Pas touche » en attendant que la Terre atteigne le degré de maturité que nous jugeons minimal pour entrer dans la civilisation interstellaire. Une fois que vous serez parvenus à ce stade, les ambassadeurs se mettront à atterrir. Ils dérouleront leurs tapis et commenceront à parler affaires. Jusque-là, les accords nous empêchent de vous approcher.

– Mais si nous n'atteignons jamais le degré de maturité requis? questionna Falkner.

– Nous continuerons à attendre.

– Et si nous nous faisons sauter d'abord?

– Cela résoudra pour nous un problème épineux, Tom. Te choquerai-je en disant que nous serions probablement plus heureux si vous vous faisiez exploser? Vous êtes déjà trop puissants. Quand vous irez dans la galaxie, il y a des chances que vous détruirez l'équilibre Dirna-Kranaz qui existe depuis des milliers d'années. Nous avons peur de vous. C'est pourquoi nous aimerions vous lier par des traités mais, pour nous, le plus sûr serait que vous disparaissiez dans une bouffée de fumée.

– Si tels sont vos sentiments à notre égard, pourquoi ne débarquez-vous pas ici deux douzaines d'agitateurs pour essayer de déclencher une guerre nucléaire? »

Glair répliqua : « Parce que nous sommes civilisés, Tom.

Il médita un instant en silence la repartie.

Puis il dit : « N'as-tu pas enfreint les accords en débarquant sur la Terre, Glair?

– Je suis là par suite d'un accident, tu te rappelles? Je n'en avais aucunement l'intention, je t'assure.

– Et, après, en me laissant découvrir qui tu étais en réalité?

– Nécessaire à ma survie. Selon l'esprit des accords, mieux vaut cent fois pour moi être cachée ici chez toi qu'être examinée dans un hôpital gouvernemental. C'est alors que la situation deviendrait vraiment critique.

– Mais tu m'as tout raconté, la guerre froide galactique, les Kranazoïs et le reste. Qu'est-ce qui m'empêche de rédiger un rapport complet pour le C.E.O.A? »

Le regard de Glair pétilla. « Quel bénéfice en tirerais-tu? Tu connais parfaitement ce que sont les rapports de contact et ce qu'on en pense officiellement. Pas un jour ne passe sans que quelqu'un se présente pour déclarer qu'il a voyagé dans une soucoupe volante. Le rapport va au C.E.O.A., le C.E.O.A. fait des vérifications et les résultats ne sont pas probants. Il n'existe pas de données tangibles, à part les repérages signalant quelque chose là-haut.

– Mais si ce rapport provenait d'un officier du C.E.O.A...

– Réfléchis, Tom! N'y a-t-il pas eu des rapports émanant de toutes sortes de gens estimables? Sans preuves matérielles...

– Eh bien, d'accord. Je pourrais t'amener en même temps que mon rapport. Je pourrais dire : voilà une Dirnane. Questionnez-la sur les observateurs. Questionnez-la sur les Kranazoïs. Ouvrez-la et voyez ce qu'elle a sous sa peau.

– Oui, tu le pourrais, concéda Glair. Seulement tu ne le voudrais pas. En fait, tu en serais incapable.

– Exact, dit-il à mi-voix. J'en serais incapable. Si j'en étais capable, je l'aurais fait tout de suite, au lieu de t'amener chez moi.

– C'est pourquoi je me suis fiée à toi. C'est pourquoi je continue à me fier à toi. C'est pourquoi je t'ai accordé toutes sortes de choses secrètes, en violation des accords. C'est parce que je sais que tu ne me trahiras pas tant que je demeure avec toi. Et, quand je serai partie, cela n'aura plus d'importance parce que personne ne te croira. » Elle prit les mains de Falkner et les posa sur ses seins. « Ai-je raison?

– Tu as raison, Glair. Seulement... quand vas-tu me quitter?

– Mes jambes sont presque guéries.

– Où irais-tu?

– Il doit y avoir des sauveteurs qui me cherchent. J'essaierai d'entrer en rapport avec eux. Ou de trouver les autres membres de mon... » Elle buta sur les mots. « ... mon groupe sexuel.

– Tu ne veux pas rester, hein?
– A titre définitif?
– Oui. Rester ici et vivre avec moi? »
Elle secoua doucement la tête. « Cela me plairait beaucoup, Tom. Mais cela ne marcherait pas. Je ne suis pas d'ici et les différences entre nous détruiraient tout.
– J'ai besoin de toi, Glair. Je te désire. Je t'aime.
– Je sais. Tom. Mais sois réaliste. Quelle sera ta réaction quand tu deviendras vieux et moi pas?
– Tu ne vieilliras pas?
– Dans cinquante ans d'ici, je serai comme je suis aujourd'hui.
– Dans cinquante ans d'ici, je serai mort, murmura-t-il.
– Tu vois? Et j'ai les miens. Mes... amis.
– Tes compagnons. Oui. Tu as raison, Glair. Des navires qui passent dans la nuit [1], voilà ce que nous sommes. Je ne dois pas me laisser aller à croire que cela peut durer toujours. Il faut que je mette un terme à mon congé de maladie et que je retourne au C.E.O.A. Et il faut que je commence à te dire adieu. » Ses mains agrippèrent le corps de la jeune femme dans un geste convulsif. « Glair! »
Elle l'étreignit.
« Je ne veux pas te dire adieu. Je ne veux pas te rendre aux étoiles », dit-il. Il la pressa contre lui. Elle sentit le frisson de désespoir qui le parcourait et elle s'ouvrit à lui, elle apaisa cette désespérance de la seule façon qui était en son pouvoir.

1. On aura reconnu un vers souvent cité, emprunté aux *Tales of a Wayside Inn: 3. The Theologian's Tale* (littéralement : Contes d'une auberge en bordure de route : 3. Conte du Théologien) du poète américain *Henry Wadsworth Longfellow* (1807-1882) : *Ships that pass in the night, and speak each other in passing; / only a sign shown and a distant voice in the darkness; / so on the ocean of life we pass and speak one another only a look and a voice; then the darkness again and a silence.* (Des navires qui passent dans la nuit et se parlent au passage; rien qu'un signe arboré et une voix lointaine dans le noir; ainsi sur l'océan de la vie nous passons et parlons les uns aux autres, rien qu'un regard et une voix; puis à nouveau l'obscurité et un silence.) *(N.d.T.)*

Et tandis que ceci s'accomplissait elle songea à Vorneen et à Mirtin et se demanda s'ils étaient en vie. Elle songea à quitter cette maison pour aller à leur recherche. Elle songea à Dirna. Elle songea au vaisseau qui avait été détruit, avec son petit jardin et sa modeste galerie d'œuvres d'art dirnanes.

Puis elle noua ses bras autour du large dos de Tom Falkner et tenta de repousser toutes ces pensées-là hors de son esprit. Pour le moment au moins, elle y parvint. Pour ce moment-là.

XVIII

TOUT ce que cela demande, se dit David Bridger, c'est un peu d'intelligence et beaucoup de ténacité. Qu'y a-t-il de si compliqué à relever la piste de quelques Dirnans? Vous ouvrez grand vos oreilles, vous souriez beaucoup, vous posez des questions et vous obtenez ce que vous cherchez.

Naturellement, il n'avait encore vu de ses propres yeux aucun de ces Dirnans. Mais il était pratiquement sûr d'en avoir découvert au moins un et, dans un petit moment, il en aurait la certitude. Le premier, peut-être, pourrait le conduire aux deux autres. En tout cas, n'en avoir repéré même qu'un était une réussite de premier ordre. L'agent kranazoï sourit et tirailla sur ses lourdes bajoues avec satisfaction. Un peu plus tard, pensa-t-il, il entrerait en contact avec le vaisseau pour annoncer la nouvelle à Bar-79-Codon-zzz. Elle aurait une profusion d'excuses à lui adresser quand elle apprendrait le succès qu'il avait remporté!

Il se tassa dans sa voiture en stationnement et garda les yeux fixés sur la maison du colonel Falkner.

Reconstituer ce qui s'était passé n'avait pas été une mince affaire. D'abord il y avait eu la rumeur que l'équipage d'une soucoupe volante s'était posé dans le désert – exacte, effectivement. Ensuite, il y avait eu cette histoire qu'un certain officier du C.E.O.A. avait pris part aux recherches et avait déniché quelque chose là-bas mais, au lieu de le signaler, l'avait délibérément caché. C'était le potin que Bridger avait récolté dans le bar.

D'après ce qu'on disait, l'officier du C.E.O.A. était parti en half-track faire une reconnaissance dans le désert et était revenu avec quelque chose ou quelqu'un. L'unique témoin était le chauffeur du half-track, qui ne possédait pas une intelligence transcendante mais qui avait compris qu'il y avait du louche là-dessous. Ce chauffeur, toujours d'après les dires, avait été transféré aussitôt dans une lointaine base militaire du nord, mais pas avant qu'il n'ait bavardé.

La démarche suivante de Bridger avait été de se renseigner sur les noms des officiers qui avaient participé à cette expédition de recherche. La chose avait été difficile mais pas impossible. En quelques jours d'enquête, il avait appris que la mission était dirigée par le commandant du bureau local du C.E.O.A., Falkner, et par un certain capitaine Bronstein. Ils étaient logiquement les hommes à surveiller. Il obtint leur adresse sans grand mal; c'est étonnant quel travail de détective on peut effectuer à la bibliothèque publique, avec un annuaire du téléphone, un répertoire des habitants de la ville et une collection de journaux. Puis il avait loué une voiture et s'était mis en devoir d'observer leur comportement.

Plusieurs périodes de guet l'avaient convaincu que Bronstein ne pouvait pas être son homme. Le capitaine ne cachait rien dans sa demeure hormis une épouse à l'air harassé et quatre enfants.

Mais ce Falkner...

Il vivait seul dans une grande maison. Suspect. Pas de femme; elle avait divorcé l'année précédente, disait un voisin. Il tenait ses fenêtres opacifiées tout le temps. Suspect aussi. Il sortait rarement et alors seulement pour faire ce qui semblait être de brèves courses dans les magasins. Un coup de téléphone au bureau de Falkner fournit l'information qu'il était malade et resterait absent pour une durée indéterminée. Parce qu'il avait quelqu'un de particulier qu'il hébergeait chez lui, peut-être?

Bridger monta la garde pendant cinq jours. Il n'avait aucune indication sur ce qui se passait à l'intérieur, mais il était sûr et certain que Falkner donnait asile à l'un des Dirnans manquants. Enfin les fenêtres s'éclaircirent pendant un instant et Bridger vit un visage de femme. Rien ne lui permettait d'affirmer que c'était une Dirnane, évidemment, mais cela confirmait en partie ses soupçons. Maintenant, ce qu'il devait faire, c'est attendre que Falkner quitte à nouveau son domicile pour y entrer. Il ne pensait pas que la Dirnane viendrait ouvrir à qui sonnerait, mais il était muni d'un matériel qui aurait raison de n'importe quel système de scellage de porte. Une fois dedans, il pourrait affronter la Dirnane, lui lancer à la tête quelques mots incitateurs et observer ses réactions. A moins qu'il ne se soit trompé du tout au tout, elle sera prise par surprise et se trahira – et il pourra l'arrêter sous l'inculpation de violation des accords. Et alors...

La porte s'ouvrait.

Le colonel Falkner quittait la maison.

Cette fois, il ne semblait pas simplement aller faire des courses, d'ailleurs. Au lieu de vêtements civils, il portait son uniforme, comme s'il était arrivé au terme de son congé de maladie et se rendait à son bureau. Parfait. Cela me donne tout le temps dont j'aurai besoin, pensa Bridger. Il regarda le colonel partir dans sa voiture. Puis, empochant le matériel nécessaire, Bridger extirpa son corps massif de sa propre voiture et se mit à traverser la rue en direction de la demeure de Falkner.

« David! » cria une voix de femme aiguë. « David Bridger! »

Le Kranazoï pivota sur lui-même, surpris. L'interruption de sa concentration provoqua un spasme incontrôlable qui ébranla son système nerveux. Une jeune femme accourait vers lui – Leonore, voilà son nom, cette follette qui l'avait dragué au motel. Il ne cherchait pas ce genre d'aventure, mais elle était là et ne demandait que ça, lui-même revenait de sa course infructueuse au Culte du Contact et, sur le moment, ça l'avait amusé de voir ce que c'est que de faire l'amour avec une femme de la Terre. Il l'avait eue et l'avait oubliée. Qu'est-ce qu'elle fabriquait maintenant, à surgir juste au mauvais moment?

Haletante, ses seins tressautant sous sa veste, elle le rejoignit, tout sourires. « Hello, David! Vous n'avez pas l'air content de me voir!

– Leonore? Comment... que...?

– J'habite juste à côté. Je vous ai vu descendre de voiture et je vous ai reconnu aussitôt. Êtes-vous venu me rendre visite? Comme c'est gentil à vous!

– En fait, je... je...

– Oui, David?

– Écoutez, je suis venu voir quelqu'un d'autre, Leonore. Je ne savais pas que vous habitiez ici. Je... j'irai vous voir une autre fois. »

Elle fit la moue. « D'accord. Qui allez-vous voir?

– Quelle importance?

– Oh, je me le demandais. Peut-être est-ce quelqu'un que je connais.

– Sûrement pas, je vous assure. Je... »

La réponse de Bridger s'étouffa. Quelque chose de petit et de froid était appliqué contre la chair de son dos. Une voix mâle aux tons graves ordonnait : « Monte dans la voiture, Kranazoï, et ne fais pas de scandale. Ceci est une grenade antipersonnel et je m'en servirai immédiatement contre toi si tu résistes. »

David Bridger – Bar-48-Codon-adf – sentit le trottoir se transformer en gouffre béant sous ses pieds.

« Non, dit-il, vous vous trompez. Je ne suis pas un Krana... ce que vous avez dit. Je suis David Bridger, de San Francisco, et... »

La voix grave l'interrompit : « Nous pouvons sentir ta misérable puanteur de Kranazoï à cent mètres, alors épargne ta salive. Tu as été pris, tâche de t'y habituer. Allez, en voiture.

– C'est un scandale, dit Bar-48-Codon-adf d'une voix étouffée. J'enquête simplement sur une violation des accords. Trois Dirnans sont descendus illégalement sur Terre et, manifestement, il y en a davantage. Vous aurez tous le cerveau brûlé pour ça! Vous...

– Dans la voiture. Dix secondes, puis tu reçois la grenade. Un? Deux? Trois? Quatre? »

Bar-48-Codon-adf monta dans la voiture. Pas la sienne, mais une qu'il n'avait même pas remarquée, qui était arrivée silencieusement dans la rue pendant qu'il surveillait la maison de Falkner. Il vit pour la première fois celui qui l'avait capturé : un grand Terrien au corps massif qui n'était visiblement pas terrien du tout. Il s'assit à côté de

Bar-48-Codon-adf tenant la grenade du bout des doigts mais avec vigilance. La jeune femme qu'il avait connue sous le nom de Leonore était assise sur le siège avant. Elle avait toujours l'air jeune et candide, mais Bar-48-Codon-adf comprit qu'elle devait être aussi un agent dirnan et qu'elle l'avait dragué exprès pour vérifier son identité. Cette planète devait en fourmiller! Si jamais il avait une chance d'expédier un rapport, il devrait faire savoir aux autorités kranazoïs que les Dirnans enfreignaient les accords de façon flagrante. Mais il avait la désagréable impression qu'il n'aurait jamais l'occasion de rédiger ce rapport.

Une troisième personne se trouvait dans la voiture – une femme plus âgée. Bar-48-Codon-adf la regarda d'un air lugubre descendre, traverser la rue et sonner à la porte de la maison de Falkner. Il avait bien relevé la piste d'un des Dirnans perdus. Mais il n'avait découvert cette Dirnane que pour la perdre au bénéfice de ses satanés compatriotes.

XIX

GLAIR écouta avec appréhension le carillon mélodieux de la porte d'entrée. Qui cela pouvait-il être? Pas Tom qui revenait? Tom se servirait de son empreinte de pouce pour ouvrir la porte. Un représentant de commerce? Un enquêteur qui faisait des sondages d'opinion? Un agent de police? Elle se figea sur place. Elle se trouvait dans la chambre, en train de s'exercer à marcher. Tom lui avait recommandé de n'ouvrir la porte à personne. Le carillon retentit de nouveau et Glair se dirigea avec précaution jusqu'au portier électronique et connecta le circuit vidéo.

Une Terrienne d'âge mûr se tenait devant la maison. La première réaction de Glair fut de fermer le circuit et d'attendre que la femme s'en aille. Puis les contours arrondis et sympathiques du visage de la visiteuse déclenchèrent l'apparition d'un souvenir dans les banques de mémoire de Glair.

Thuw? *Était-ce Thuw qui se tenait là?*

Thuw appartenait au groupe sexuel Sartak-Thuw-Leenor. Glair les connaissait depuis quelques années. Ils avaient séjourné tous ensemble sur Ganymède pendant leur dernière période de repos. En fait, elle et Sartak avaient...

Mais le petit champ de vision gris offert par le judas électronique, pas plus de soixante-quinze millimètres de diamètre, pouvait l'induire en erreur. Glair examina attentivement l'image imprécise. Si elle se trompait, cela provoquerait des ennuis.

« Qui est-ce? demanda-t-elle.
– Glair? répliqua une voix chaude. Tu peux ouvrir. Nous t'avons trouvée, Glair. »
La voix parlait en dirnan.
« Je viens, Thuw! J'arrive tout de suite! »
Glair boitilla jusqu'à la porte d'entrée, la descella, attendit dans une joyeuse expectative pendant que la porte coulissait trop lentement à son gré. Un instant après, elle était dans les bras de Thuw, l'agréable senteur de son propre peuple emplit ses narines – et elle frémit de plaisir et de soulagement, de tristesse aussi.
Thuw entra. Glair ferma la porte et la rescella.
« Nous avons une voiture au-dehors, dit Thuw. Sartak et Leenor attendent dedans.
– Comment m'avez-vous retrouvée?
– Ça n'a pas été facile, répliqua Thuw en riant. A la vérité, nous avons mis un gros espion kranazoï sur ta piste, voilà ce que nous avons fait, après quoi nous l'avons suivi, lui. C'est Leenor qui en a eu l'idée. Astucieux, non?
– Un... espion kranazoï...?
– Il est aussi dans la voiture. Sartak le tient en respect avec une grenade. Il a dû venir sur Terre afin de vous découvrir tous les trois et s'est débrouillé pour récolter des rumeurs concernant un officier du C.E.O.A. qui avait déniché quelque chose dans le désert. Il a relevé ta piste jusqu'ici. Nous l'avons suivi et arrêté. »
Glair eut un sursaut. « C'est donc aussi facile que ça de se renseigner... sur Tom et moi?
– Tom?
– L'officier du C.E.O.A. »
Thuw haussa les épaules et déclara : « On peut tout apprendre si on cherche. L'important, maintenant, c'est que nous t'ayons localisée et d'ici peu tu seras en sécurité sur Ganymède. Quelles blessures t'es-tu faites en atterrissant?
– Je me suis cassé les deux jambes. Tom m'a soignée on ne peut mieux. Comme tu vois, ces corps guérissent vite.
– De toute façon, tu passeras un examen médical complet à la base. » Thuw jeta un coup d'œil autour d'elle. « Où est ta combinaison spatiale?

– Cachée, dit Glair. Je sais où la prendre. Elle est en parfait état, à part le communicateur qui s'est brisé quand j'ai heurté le sol.

– Nous nous en sommes aperçus, répliqua Thuw. Eh bien, va la chercher et j'irai la mettre dans la voiture. Enfile aussi quelques vêtements, que nous puissions t'emmener dans la rue sans être arrêtés. Nous allons te conduire au point de rendez-vous dans le désert et d'ici une heure tu seras en route pour...

– Non, coupa Glair.

– Non? Je ne...

– Il faut que j'attende le retour de Tom, expliqua-t-elle. Assieds-toi. Bavarde avec moi une minute, Thuw. Rien ne nous presse de partir, n'est-ce pas? Tu ne m'as pas soufflé mot de Mirtin et de Vorneen. Sont-ils vivants? Sais-tu où ils sont?

– Mirtin est déjà de retour sur Ganymède », dit Thuw.

Glair eut un frisson de soulagement. « Oh, magnifique! Il n'a pas été blessé, alors?

– Il avait les reins brisés. Mais il se rétablit bien. Un autre groupe de secours l'a repéré il y a deux semaines environ. Son communicateur fonctionnait encore, mais le signal était déformé et une équipe partie de Santa Fe l'a découvert dans une grotte près d'un des villages indiens. Je lui ai parlé. Il t'envoie son affection, Glair.

– Et Vorneen?

– Nous l'avons repéré nous-mêmes. Il est ici dans cette ville, ou plutôt à sa périphérie. Il habite dans la banlieue nord, chez une femme appelée Kathryn Mason. »

Glair rit. « Ce brave Vorneen. Il se dénichera toujours une femme n'importe quand, sur n'importe quelle planète! Êtes-vous entrés en contact avec lui?

– Pas encore. Toutefois, nous sommes allés en reconnaissance à sa maison. Il boite, mais il semble en bonne santé. Au fond, vous trois, vous avez passé une rude épreuve sans grand dommage, finalement. Et maintenant vous pourrez tous vous détendre un peu.

– Oui, murmura Glair. Nous pourrons tous nous détendre. Comment avez-vous découvert Vorneen?

– Par le Culte du Contact de la région, en fait.

– Vraiment? Tu veux dire que la femme avec qui il vit est membre de ce Culte et le lui a signalé?

– Apparemment, elle n'en a pas soufflé mot, répliqua Thuw. Nous n'avons pas de certitude là-dessus. Ce que nous avons utilisé comme méthode, c'est la vérification de la liste des visiteurs du bureau du Culte, en nous fondant sur l'hypothèse que quiconque aurait trouvé un inconnu d'un autre monde viendrait se renseigner au Culte. Nous nous sommes branchés sur leur groupe d'ordinateurs, nous avons relevé la liste de tous ceux qui s'étaient présentés au bureau depuis la nuit de l'accident et nous avons enquêté sur chacun. Kathryn Mason était à peu près la centième que nous examinions. Les voisins ont dit qu'elle se conduisait bizarrement. Une ou deux mauvaises langues nous ont laissé entendre qu'elle vivait avec un homme. Nous avons placé un " œil " à la fenêtre hier soir et Vorneen était là. Maintenant nous pouvons passer le chercher et...

– Cette femme? demanda Glair. Qu'est-ce que vous savez d'elle?

– C'est une jeune veuve avec un enfant en bas âge.

– C'est tout? Comment est-elle? Pourquoi a-t-elle donné asile à Vorneen?

– Nous n'avons pas eu de rapports avec elle », répliqua Thuw avec indifférence. Elle jeta un coup d'œil à sa montre. « Quand ton Terrien va-t-il rentrer, dis-moi?

– Pas avant quatre heures de l'après-midi.

– Mais cela représente...

– Je sais. Un bon moment. J'ai le temps d'attendre. Emmenez votre Kranazoï et faites ce que vous avez l'intention de lui faire, puis revenez me chercher après quatre heures. Je ne peux pas partir sans prendre congé de Tom. »

Thuw la dévisagea d'un regard scrutateur. « Par gratitude, Glair, ou y a-t-il autre chose?

– Autre chose. Autre chose de plus profond. J'en suis venue à éprouver beaucoup d'affection pour lui.

– Amoureuse d'un *Terrien,* Glair?

– Thuw, sois gentille, ne pose pas de questions, veux-tu? Allez-vous-en donc et revenez plus tard. Revenez à cinq heures, je serai prête à partir.

– Très bien. Nous irons chercher Vorneen pendant ce temps-là.

– Ne faites pas cela non plus », dit Glair.

Thuw eut l'air agacée. « Et pourquoi donc?

– C'est moi qui irai chercher Vorneen. C'est mon compagnon, tu te rappelles? Je le réclamerai. Et je veux aussi parler à la femme avec qui il a vécu. Restez à l'écart et laissez-moi m'en occuper.

– Franchement, Glair... »

Glair posa la main sur son bras et la reconduisit doucement vers la porte. « Chérie, vous avez été merveilleux, toi, Sartak et Leenor, de nous avoir repérés de cette façon. Mais il y a certaines choses dont nous devons nous charger nous-mêmes. Je t'en prie, allez-vous-en et revenez plus tard. »

Thuw paraissait juger tout cela saumâtre. Mais elle partit; et, dès qu'elle eut tourné les talons, Glair scella la porte et se laissa choir sur le divan de l'entrée, vibrante de tension.

Ainsi c'était arrivé. Ils l'avaient découverte. Ce qui était inévitable. Et d'ici peu elle serait à l'hôpital sur Ganymède, où les derniers effets de son atterrissage en catastrophe seraient balayés de son système. Parfait.

Mirtin et Vorneen étaient vivants. Magnifique!

Et maintenant... il ne lui restait plus qu'à dire adieu à Tom...

Ce serait pénible. Les adieux le sont toujours. Mais Tom avait déjà commencé à s'armer de tout son courage pour affronter le fait indéniable qu'elle devait le quitter. Ce qu'ils avaient bâti, le pont entre Terrien et Dirnane, par sa nature même était instable, voué à s'effondrer. Mais... si tôt?

Elle savait que d'ici quelques semaines elle se souviendrait de lui seulement comme d'un homme bon, désorienté, qui l'avait aidée dans une passe difficile. Ce qu'elle pensait être de l'amour pour lui s'atténuerait en simple affection, une fois qu'elle serait de retour auprès de Vorneen et de Mirtin, à qui elle était attachée par le plus profond des liens. Mais lui, Tom? Comment réagirait-il, rejeté dans les profondeurs de son désespoir, toutes ses certitudes détruites par cette rencontre? Il ne croyait même pas à ses Objets Atmosphériques qu'il méprisait quand il l'avait trouvée. Et maintenant il en savait plus sur les observateurs qu'aucun autre homme de la Terre – et connaissait pour l'avoir expérimenté lui-même ce que c'est que de tenir dans ses bras un être venu des étoiles et d'écouter ses cris de plaisir. Comment pourrait-il après cela revenir à la vie ordinaire?

Glair s'avisa qu'elle disposait d'un moyen pour lui faciliter ce retour. Il valait la peine d'être essayé, de toute façon. Il avait des chances de guérir Tom comme ses propres relations avec lui n'auraient jamais réussi à le faire – et guérir, en somme, était sa spécialité.

Elle attendit jusqu'au bout de la longue journée.

Puis il fut enfin là, descellant la porte, entrant dans la maison, la prenant dans ses bras, la pressant contre lui. Elle attendit qu'il l'ait embrassée, qu'il ait rejeté sa veste d'une secousse, qu'il se soit soulagé de quelques centaines de paroles sur la stupidité et l'aveuglement du C.E.O.A. Elle l'écouta, rayonnante.

Puis elle dit d'une voix égale, détachée : « Tom, mes compatriotes sont venus me chercher aujourd'hui. Je rentre chez moi. »

XX

LA nuit était tombée. Jill avait eu son dîner et dormait; Vorneen, se déplaçant plus agilement que jamais, essayait sa jambe en voie de guérison; Kathryn avait programmé le lave-vaisselle et achevait ses dernières tâches ménagères. Ils avaient leur soirée à eux. Curieusement, Kathryn avait commencé à se sentir de nouveau mariée et elle aimait cette sensation. Maintenant que toutes les barrières étaient abaissées entre elle et Vorneen, y compris les barrières physiques, elle avait cessé de le redouter et ne pouvait plus nier qu'elle était amoureuse de lui.

Bien sûr, il lui paraissait terriblement étranger, et le serait toujours, quand elle s'arrêtait à réfléchir sur son étrangeté. Kathryn était consciente de l'impossibilité d'oublier qu'il était humain seulement en surface, ou qu'il était né avant l'époque où vivait George Washington [1] – ou qu'il avait vu d'autres soleils, d'autres mondes. Toutefois, c'était facile de faire abstraction de ces choses. Il était là, beau, *si* beau, tendre, bienveillant, profondément captivé par elle, un dieu d'amour qui était descendu des cieux.

Elle s'était toujours demandé si elle éprouverait de la culpabilité à l'égard de Ted la première fois qu'elle aimerait de nouveau. Elle avait maintenant la réponse : c'était non. Elle chérissait encore le souvenir de Ted et le

1. Autrement dit avant le XVIIIe siècle : George Washington est né en Virginie en 1732. Héros de la guerre d'indépendance américaine, premier président des États-Unis en 1789, réélu en 1793, refusa une troisième présidence et mourut en 1799. *(N.d.T.)*

chérirait toujours; mais la main de son mari défunt ne la retenait pas dans une étreinte glacée, comme elle l'avait craint. Ted n'était plus. Vorneen se trouvait là. Rien que de penser à ce soir précipitait un chaud flux d'excitation à travers les canaux de son corps.

Elle avait été surprise qu'il puisse avoir des relations physiques avec elle; que son corps artificiel puisse agir et réagir comme s'il était réel. C'est ce que faisait le corps de Vorneen. Oh, il y avait des différences – et certains aspects qui manquaient et manqueraient toujours; mais cela n'avait pas d'importance. Vorneen débordait de vitalité érotique. Kathryn avait dans l'idée que sur sa propre planète c'était un coureur de femmes... s'ils avaient là-bas quelque chose qui correspondait aux « femmes ».

Elle était heureuse, en tout cas.

Elle essayait de ne pas se demander combien de temps cela durerait. Le moment viendrait fatalement où elle ne pourrait plus cacher Vorneen dans sa maison. Il devrait s'intégrer à la vie extérieure, d'une façon ou d'une autre, s'il avait l'intention de rester ici. Et s'il n'avait pas l'intention d'y rester...

La bouche de Kathryn se pinça d'un seul coup en une ligne serrée. C'était irréaliste de penser qu'il demeurerait avec elle pour toujours. Mais Vorneen était ici avec elle maintenant. Voilà ce qui comptait. Il était ici avec elle maintenant.

Comme elle en finissait dans la cuisine, elle entendit le bruit d'une portière de voiture qui s'ouvrait et se fermait devant la maison. Des pas approchèrent, puis la sonnette de l'entrée retentit.

Le circuit vidéo du portier électronique lui montra le visage d'une jeune femme blonde.

« Qui est-ce? demanda Kathryn.

– Mrs. Mason? Mon nom est Glair. Je suis une amie de Vorneen. Puis-je entrer? »

Glair. Une amie de Vorneen.

Il avait prononcé ce nom dans son délire. Kathryn entendit dans son crâne l'éclatant son silencieux d'un univers qui se brisait. Avec des gestes gourds, elle descella la porte.

Glair était petite, bien en chair, belle. Elle avait l'air d'une vedette de cinéma – en fait, de l'équivalent féminin de Vorneen, avec le même charme radieux sans défaut. Son regard était chaleureux et bon, sa peau avait une teinte crémeuse et ne présentait pas une imperfection. Kathryn savait que si elle posait la main sur la peau de Glair, elle la trouverait aussi lisse, aussi fraîche, aussi peu terrestre que celle de Vorneen.

Pendant un long moment, les deux femmes se dévisagèrent. Puis Vorneen sortit de la chambre, appuyé sur sa canne, et dit : « Kathryn, est-ce la porte que j'ai entendue...

– Salut, Vorneen.

– Glair. Toi. »

Ils ne s'élancèrent pas l'un vers l'autre, comme Kathryn l'avait redouté. Ils demeurèrent à près de cinq mètres l'un de l'autre – et ce qui passa entre eux resta non formulé, inaccessible à la compréhension de Kathryn. Elle s'avisa pour la première fois que Glair s'appuyait sur deux cannes d'aluminium. Dans le silence assourdissant, Kathryn dit – en s'efforçant de ne pas le crier : « Je pense que vous êtes venue le chercher.

– Je suis navrée, Mrs. Mason. Kathryn. Je sais parfaitement ce que c'est pour vous, lui dit Glair avec douceur.

– Comment pourriez-vous le savoir?

– Je sais. Croyez-moi. » Glair regarda Vorneen. « Mirtin est vivant aussi. On l'a déjà récupéré et emmené hors planète. Est-ce qu'elle...

– Est au courant? Oui. Suffisamment.

– Alors je peux parler librement. Il y a un vaisseau qui nous attend, Vorneen. On est venu me chercher plus tôt dans la journée aujourd'hui. J'habitais Albuquerque. Quelqu'un a eu la bonté de me prendre chez lui et de s'occuper de moi jusqu'à ce que je sois rétablie.

– Tu as l'air en belle forme, Glair, commenta Vorneen.

– Toi aussi. Manifestement, tu as eu de bons soins.

– Les meilleurs. » Il jeta un coup d'œil à Kathryn. « J'ai été merveilleusement soigné. »

Glair dit : « Cela fait plaisir à entendre. Vorneen, veux-tu aller dans l'autre pièce? Je désire m'entretenir quelques minutes avec Kathryn. Puis je vous laisserai tous les deux seuls un moment. Aussi longtemps qu'il vous plaira. Je ne vous bousculerai pas. Je viens de passer par là, moi aussi. »

Vorneen hocha la tête. Sans mot dire, il se détourna et rentra dans la chambre, dont il ferma la porte.

Glair regarda Kathryn droit dans les yeux. « Me détestez-vous beaucoup? » demanda Glair.

Les lèvres de Kathryn tremblèrent. « Vous détester? Pourquoi vous détesterais-je?

– Je vais vous enlever Vorneen.

– Il appartient aux siens, dit Kathryn. Je n'ai pas de droit sur lui.

– Sauf le droit de l'amour.

– Comment savez-vous que je l'aime? »

Glair sourit. « J'ai certains dons, Kathryn. Je peux voir ce que vous ressentez. Je vois qu'il vous aime, lui aussi. » Gauchement, elle s'assit et posa ses cannes de côté; puis elle allongea les mains vers celles de Kathryn qu'elle prit. La peau de Glair ne lui parut pas fraîche contre la sienne, Kathryn le remarqua. Ce qui signifie que ma peau est vraiment très froide en ce moment. Glair dit avec douceur : « En dehors de ce que je peux voir, Kathryn, j'ai d'autres moyens de savoir. Je vous l'ai dit, j'ai eu la même expérience. Un homme m'a emmenée chez lui. J'ai vécu avec lui. Je... l'aimais, si c'est possible pour l'un de nous d'aimer l'un de vous – et je le crois possible. Puis les miens sont arrivés, ils ont dit qu'ils m'avaient retrouvée, que le moment était venu pour moi de partir. Je sais donc ce que c'est. »

Kathryn avait l'impression que son cerveau était emmaillotté dans des épaisseurs de grosse laine. Elle réagissait à peine. Cela s'était produit si vite que la rupture de ses liens avec Vorneen n'avait pas encore de réalité pour elle.

Elle dit : « Vorneen et moi, nous étions très heureux ensemble. Mais il... il est à vous, n'est-ce pas? Vous êtes sa conjointe?

– Un de ses conjoints. Nous sommes deux. Vous a-t-il expliqué cela?

– Un peu. Pas très clairement.

– Je veux le récupérer, reprit Glair. Vous pouvez le comprendre. Vous le savez puisque vous connaissez Vorneen. Me pardonnerez-vous de l'emmener? »

Kathryn haussa les épaules. « Ce sera douloureux. Dès que... dès que je me rendrai compte de ce qui se passe. Partira-t-il ce soir?

– C'est mieux ainsi.

– Quand?

– D'ici quelques heures, ce sera suffisant. Nous avons tout le temps pour des adieux affectueux. Puis une rupture nette, Kathryn. Vorneen n'appartient pas à cette planète. Il ne pourra jamais y revenir. Vous a-t-il parlé des accords?

– Oui.

– Vous voyez la situation, donc.

– Je la vois. Mais je n'ai pas envie de la voir. J'ai essayé de croire qu'il resterait toujours avec moi. Je voulais continuer à prendre soin de lui, à le chérir, à le garder [1].

– Vous aimez prendre soin des gens? » demanda Glair.

Kathryn sourit. « N'est-ce pas évident?

– Alors voudriez-vous prendre soin de quelqu'un d'autre? Pour moi? Il y a un homme dans Albuquerque – l'homme qui m'a soignée. Il est seul maintenant. Il a besoin de quelqu'un de chaleureux, quelqu'un qui l'aide. Je lui ai parlé un peu de vous. Dans un jour ou deux, Kathryn, allez le voir. Parlez-lui. Vous et lui avez tant en commun.

– C'est tout ce que vous voulez que je fasse? Lui parler?

– Je ne peux pas demander plus, répliqua Glair. Mais tâchez de le rendre heureux. Et peut-être vous rendrez-vous heureuse vous-même en le rendant heureux. Ou peut-être que non. Qui peut prédire ces choses? Rendez-lui visite quand même. Voulez-vous?

– D'accord, dit Kathryn. Oui.

– Voici son nom, son adresse. »

1. C'est la paraphrase d'une partie de la formule du mariage selon le rituel de l'Église anglicane. *(N.d.T.)*

Elle tendit à Kathryn une carte. Kathryn y jeta un coup d'œil et la posa. Tom Falkner – le nom ne lui disait rien. Ils se rencontreraient, en tout cas. Et parleraient.

Glair essayait de se lever, sans se servir de ses cannes. Kathryn vit la tension de ses traits et s'approcha, prit la jeune femme blonde par les coudes, l'aida avec douceur à se mettre debout. Glair, toujours sans ses cannes, oscilla légèrement, cherchant son équilibre. Ses bras s'allongèrent, se nouèrent autour de Kathryn – et elles s'embrassèrent. Kathryn ferma les yeux et songea à la bizarre chose étrangère sous la chair douce de cette jeune femme.

Glair reprit : « Je veux... vous remercier, Kathryn. De vous être occupée de lui. De l'avoir gardé chez vous. Je ne peux rien dire de plus. Rien que mes remerciements.

– Moi aussi, j'éprouve de la reconnaissance, en fait. Pour l'avoir eu avec moi, même pendant un aussi court laps de temps. »

Glair la lâcha. « Je vais aller lui parler maintenant. Puis je vous laisserai seuls tous les deux. »

Elle reprit ses cannes et se dirigea avec précaution vers la chambre où elle entra. Elle ne referma pas la porte derrière elle. Quand ils parlèrent, ils s'exprimèrent en anglais et Kathryn comprit que c'était pour qu'elle entende ce qu'elle entendait à présent.

Glair déclara : « Tu as eu beaucoup de chance, Vorneen. Tu as été découvert par la personne qu'il fallait.

– Oui. J'ai eu de la chance.

– Tu ne veux pas la quitter, maintenant?

– Je me suis pris d'affection pour elle, Glair. Plus profondément que je ne sais le dire à présent avec des mots. Mais je ne peux pas rester, n'est-ce pas?

– Non.

– Les accords...

– Les accords, oui.

– Comment m'as-tu trouvé?

– Cela n'a pas grande importance pour le moment. C'est Sartak qui t'a trouvé, en fait. Et qui m'a trouvée. Je te raconterai cela plus tard. Tu vas bien, Vorneen?

– Un peu meurtri sur les bords. Rien de grave. Et toi?

– Pareil. Où est ta combinaison spatiale?
– Cachée.
– Ne l'oublie pas quand tu partiras. Emporte tout ce avec quoi tu as atterri.
– Naturellement.
– Et tâche de lui expliquer que c'est... nécessaire. Que c'est impossible pour toi de rester ici plus lontemps. Que les observateurs ne doivent pas approcher de trop près ceux qu'ils observent. Toute cette histoire absurde, Vorneen. Je viens d'en passer par là avec Tom. Avec l'homme qui m'a donné asile.
– Cela t'a fait de la peine de le quitter, n'est-ce pas, Glair?
– Tu le sais bien. Mais je l'ai quitté. Et tu quitteras Kathryn. Et la souffrance cessera au bout d'un certain temps.
– Pour nous ou pour eux?
– Pour nous et pour eux, répliqua Glair. A tout à l'heure. Allume la lumière du perron quand tu seras prêt à partir. Notre voiture est garée plus loin dans la rue. Tu n'as pas besoin de te presser. »

Glair sortit de la chambre. Kathryn restait figée à côté de la porte. La réalité de sa perte s'imposait maintenant peu à peu. Kathryn s'efforça de se dire qu'elle n'avait rien perdu puisque Vorneen ne lui avait jamais appartenu. Un hôte. Un visiteur. Ce qui avait existé entre eux était l'ardeur d'un moment, un amour de papillon voué à mourir dès la première bourrasque de l'hiver.

Glair l'étreignit de nouveau. Elle commença à dire quelque chose – et ravala les mots avant qu'ils aient franchi ses lèvres. Kathryn refoula ses larmes.

« Je ne le retiendrai pas très longtemps », murmura Kathryn.

Elle ouvrit la porte pour Glair et laissa sortir la Dirnane. Puis elle se détourna et se rendit dans la chambre. Vorneen était debout devant la fenêtre. Sans avoir eu conscience de bouger, Kathryn se retrouva près de lui. Leurs corps allèrent l'un vers l'autre.

Ils avaient tant à se dire... et si peu de temps pour se le dire.

XXI

Tom Falkner dit : « Si humble soit-il, etc. [1] Entrez-vous un instant?

– Avec plaisir », lui répondit Kathryn.

Il ouvrit la porte et alluma la lumière. Ils avaient roulé dans les environs d'Albuquerque tout l'après-midi. Elle avait confié sa petite fille à une voisine, avait-elle dit, et ne cessait de répéter qu'elle devrait vraiment retourner chez elle afin de préparer le dîner. Mais chaque fois que la question de repartir se posait pour de bon, Kathryn avait accepté de rester un peu plus longtemps avec lui. Et maintenant ils étaient dans sa maison.

Il la regarda de près pour ce qui semblait être la première fois. Dans la voiture, avec elle à côté de lui, il n'avait pas été en mesure de la voir ce qui s'appelle voir. Maintenant, il l'examinait sans retenue. Elle était grande et svelte, plus de la première jeunesse mais beaucoup plus jeune que lui, avec le genre de physique qui, pensait-il, ne commencerait pas à donner de signes de vieillissement

1. ***Si humble soit-il, rien ne vaut son propre logis*** : passé en proverbe, ce vers est emprunté à la très célèbre chanson *Home, Sweet Home* qui est extraite de l'opéra *Clari, The Maid of Milan*, créé à Londres en 1823 et écrit par l'auteur américain John Howard Payne (1792-1852). C'est le début de la première strophe que voici : Qu'importe de vivre dans des palais au milieu des plaisirs, si humble soit-il rien ne vaut son propre logis (...). Oh, rendez-moi ma modeste chaumière. *Mid pleasures and palaces though we may roam, be it ever so humble, there's no place like home! (...) Oh, give me my lowly thatched cottage again!* (*N.d.T.*)

avant quinze ou vingt ans. On ne pouvait pas la dire jolie, avec ces pommettes en lame de couteau, ces lèvres minces, la bouche trop grande, mais nul ne la trouverait laide. Pour le moment, ses yeux étaient soulignés par des croissants noirs. Elle n'avait pas beaucoup dormi ces derniers temps, semblait-il. Lui non plus. Lui non plus.

Il dit : « Naturellement, nous ne pouvons raconter à personne l'expérience que nous venons de vivre.

– Non. Nous ne voulons pas passer pour fous, n'est-ce pas? »

Il eut un petit gloussement de rire. « Nous pourrions toujours fonder un nouveau culte. Cela ne ferait pas de mal à Frederic Storm d'avoir un peu de concurrence. Nous organiserons un temple, nous prêcherons l'évangile des observateurs et...

– Tom, pas ça.

– Je ne parlais pas sérieusement. Aimeriez-vous boire quelque chose?

– Oui, ma foi.

– J'ai un assortiment très limité. De l'ersatz de scotch, du bourbon et...

– N'importe quoi, dit Kathryn. Je ne tiens pas au goût de l'alcool. Donnez-moi simplement un siphon.

– Ce n'est guère une façon élégante de boire.

– Je ne suis guère quelqu'un d'élégant », répliqua Kathryn.

Il sourit et présenta un plateau de siphons. Elle en prit un et, par politesse, il en prit un aussi, et ils posèrent les becs injecteurs sur leurs bras en silence. Ensuite, il demanda : « Votre mari appartenait à l'Armée de l'Air, vous avez dit?

– C'est exact. Theodore Mason. Il a été tué en Syrie.

– Désolé. Je ne le connaissais pas. Il était stationné à Kirtland?

– Jusqu'à ce qu'on l'envoie outre-mer.

– La base est grande, reprit-il. Je regrette de ne pas l'avoir connu.

– Pourquoi dites-vous cela? »

Il sentit ses joues brûler. « Je ne sais pas. Simplement parce que... eh bien, parce qu'il était votre mari et je...

ç'aurait été agréable si... oh, flûte. J'ai tout du gamin qui ne retrouve plus sa langue, n'est-ce pas? Un gros adolescent de quarante-trois ans qui a grandi trop vite. Vous voulez boire autre chose?

– Pas tout de suite. »

Il ne se servit pas d'autre boisson non plus. Elle sortit une photographie de sa fille. La main de Falkner tremblait un peu quand il prit l'épreuve brillante en relief qu'elle lui tendait – et il vit une petite fille toute nue de deux ou trois ans qui lui souriait au milieu d'une touffe de verdure.

« Une petite coquine sans vergogne, hein? dit-il.

– J'essaie de lui enseigner un peu de pudeur. Peut-être que j'y réussirai d'ici une quinzaine d'années.

– Quel âge a-t-elle maintenant?

– Trois ans.

– Vous feriez bien de presser le mouvement », commenta Falkner.

La conversation tomba. Il s'efforçait de ne pas parler des êtres venus des étoiles – et elle aussi, bien que ce fût ce qui les avait réunis. Mais ce n'était pas un sujet de conversation qui pouvait demeurer écarté longtemps.

Il finit par dire : « Je suppose qu'ils sont arrivés à leur base de secours à présent. Ils sont soignés par leurs médecins à eux. Ils parlent de nous, à votre avis?

– J'en suis sûre, dit Kathryn. Ils doivent le faire.

– Ils se décrivent l'un à l'autre les singes hirsutes compatissants qui se sont occupés d'eux.

– Ne dites pas une chose pareille. Ils ont pour nous davantage d'estime.

– Vous croyez? Ne sommes-nous pas simplement des singes à leurs yeux? Des singes dangereux, avec de grosses bombes?

– Peut-être en tant que race. Mais pas en tant qu'individus. Je ne sais pas ce qu'il en était pour vous et Glair, mais j'ai le sentiment que Vorneen voyait en moi quelqu'un de respectable. Qu'il prenait en compte le fait que j'étais humaine, mais qu'il ne m'a jamais considérée avec mépris, qu'il ne s'est jamais moqué dans son for intérieur.

– Pour Glair et moi, cela se passait aussi comme cela. Je retire ce que j'ai dit.

– Ce sont des êtres vraiment exceptionnels, dit Kathryn. Je suis persuadée que ce que vous et moi avons ressenti pour eux était payé de retour. Ils sont chaleureux... bienveillants...

– Je me demande à quoi ressemblent les Kranazoïs, dit soudain Falkner.

– Qui?

– L'autre race. Les rivaux galactiques. Vorneen ne vous a-t-il pas parlé de la situation politique, de la guerre froide qu'il y a là-haut?

– Ah. Oui.

– C'est bizarre, Kathryn. Nous ne savons même pas si les Dirnans sont les bons ou les méchants. Les deux que nous avons connus étaient très bien, mais supposons que ce soit les Kranazoïs que nous devrions soutenir? Nous avons une vision tellement réduite de leurs affaires. Voilà pourquoi je nous ai qualifiés de singes. Il y a une lutte en cours là-bas et nous en avons eu vent, mais nous ne connaissons pas réellement le fond des choses. Et le ciel fourmille de vaisseaux dirnans et de vaisseaux kranazoïs qui nous observent, échafaudent des combinaisons, déjouent les plans les uns des autres. » Falkner haussa les épaules. « J'en ai le vertige quand j'y pense.

– Vorneen disait qu'un jour les accords deviendraient caducs et qu'ils pourraient alors prendre ouvertement contact avec nous.

– Glair l'a dit aussi.

– Dans combien de temps croyez-vous que cela se produira?

– Cinquante ans, peut-être. Cent. Mille. Je ne sais pas.

– J'espère que ce sera bientôt.

– Pourquoi, Kathryn?

– Pour que Vorneen revienne. Vorneen et Glair, tous les deux, et que nous les voyions de nouveau. »

Il secoua la tête d'un air morne. « C'est une illusion dangereuse à entretenir, Kathryn. Ils ne reviendront pas. Même si les accords sont résiliés la semaine prochaine, vous ne reverrez jamais Vorneen. Et je ne reverrai jamais

Glair. Vous pouvez en être certaine. La rupture est définitive. Elle doit l'être. Les liaisons amoureuses entre gens de mondes différents ne sont pas faites pour durer. On veillera à ce que nous ne les rencontrions jamais plus. Il y a une blessure quand l'amour est tranché de cette façon, et on veut que cette blessure guérisse et reste guérie.

– Croyez-vous vraiment que ç'aurait été impossible?

– Écoutez, c'est déjà assez dur pour deux êtres humains de maintenir l'amour vivant. Partager son existence avec une autre personne est toujours difficile. Et si l'autre partenaire n'est même pas une personne...

– Je ne trouve pas que ce soit tellement difficile de tomber amoureux, répliqua Kathryn. Ou de continuer à aimer. Et si l'autre est un Dirnan, eh bien, peut-être est-ce plus délicat, mais... » Elle se tut un instant. « D'accord. Je dis des bêtises. Ils sont partis. Chacun de nous a vécu une aventure bizarre et merveilleuse et maintenant il faut que nous ramassions les morceaux et que nous nous remettions à vivre. »

Falkner sentit qu'elle lui avait tendu une perche. Mais il n'était pas en mesure de la saisir, pas maintenant, pas déjà. Plus tard, il en avait conscience, lui et Kathryn pourraient s'aider mutuellement à ramasser ces morceaux. Pour le moment, il devait avancer avec prudence, il devait apprendre à la connaître et peut-être même apprendre à se connaître lui-même avant d'oser se risquer encore une fois. Quoi qu'elle en dise, il persistait à penser que c'est difficile, cette histoire de joindre sa vie à celle d'une autre personne.

« La nuit est tombée, dit-elle. Je ferais bien de reprendre le chemin de chez moi. Jill va être de mauvaise humeur si je ne rentre pas bientôt.

– Je vais vous reconduire. »

Une fois sortis de la maison, ils pouvaient voir les étoiles malgré la concurrence que leur faisaient dans le ciel la jeune lune et les lumières d'Albuquerque. Involontairement, tous deux levèrent la tête. Il savait ce qu'elle devait penser. Leurs regards se croisèrent, il sourit, elle sourit – et ils éclatèrent de rire.

« Pour ce qui est d'oublier, on ne peut pas dire que

nous y réussissions très bien, n'est-ce pas? dit Kathryn.
– Pas encore. Et nous ne les oublierons pas complètement, jamais. Pendant quelques semaines de notre existence, les étoiles sont venues à nous. Cela ne peut pas s'oublier. Mais il faut y survivre. Les étoiles sont parties à présent et nous sommes toujours là. »

Ils montèrent dans sa voiture.

« J'ai passé une bonne journée, aujourd'hui, déclara-t-elle.
– Moi aussi. Nous recommencerons.
– Bientôt.
– Très bientôt », lui répondit Falkner. Il voulait en dire plus, beaucoup plus. Ce serait dit, en temps opportun. Il n'en était pas pour s'ouvrir à des étrangers. Il avait toutefois le sentiment que lui et Kathryn cesseraient d'ici peu d'être des étrangers l'un pour l'autre. Trop de choses les unissaient. L'expérience partagée de peaux fraîches et lisses, de politiques galactiques, de jambes brisées et d'adieux soudains. Voilà ce qui les rapprochait, les isolait du reste des quatre milliards d'habitants de cette planète.

Il éprouvait intérieurement comme une sensation de ressort comprimé pendant trop d'années qui commençait à se détendre. Il souriait quand il enclencha le starter et mit la voiture en route. Kathryn sourit aussi. Au-dessus du pare-brise s'arrondissait la voûte des cieux. Glair et Vorneen étaient quelque part là-haut.

Il leur souhaita un bon voyage de retour.

XXII

LE pueblo était tranquille, maintenant. Le festival de la Société du Feu avait pris fin; les Blancs étaient rentrés à Albuquerque et à Santa Fe. De longues coulées de clair de lune éclaboussaient de lumière la place du village. Le poste de télévision marchait dans la maison des Estancia. Ramón et Lupe étaient assis devant, fascinés, et leur grand-mère aussi. L'oncle George était sorti s'enivrer. Le père de Charley Estancia se trouvait dans la kiva, où il jouait avec ses amis à des jeux d'argent. Rosita boudait dans la cuisine. Elle n'avait pas de compagnie masculine ce soir. Charley savait pourquoi, mais il ne le lui dit pas. Marty Moquino avait quitté le pueblo. On ne l'avait pas revu dans San Miguel, en fait, depuis le temps pas très éloigné où Charley l'avait terrorisé avec le laser dirnan. On racontait qu'il était reparti pour Los Angeles. Charley doutait qu'il revienne, cette fois. Pas après avoir montré sa frousse à un gamin de onze ans.

Debout devant sa maison, regardant à l'intérieur la clarté bleuâtre de l'écran, Charley frissonna un peu. L'hiver s'abattait sur le Rio Grande. Quelques flocons étaient apparus cet après-midi; la neige tomberait peut-être plus dru vers Noël. Charley ne craignait pas le froid. Sous sa veste déchirée il avait deux choses pour lui tenir chaud : une lettre au griffonnage mal formé tracé sur un carré de plastique luisant – et un petit tube de métal qui était capable de lancer un rayon de lumière fantastique.

Charley traversa la place, sans but précis en tête. Son chien trottinait à sa suite.

La lune luisait d'un vif éclat, ce soir. Ce qui n'empêchait pourtant pas Charley de distinguer assez bien les étoiles. Il y avait les trois étoiles brillantes du Baudrier d'Orion. Il y avait l'étoile de Mirtin. Charley était tout réconforté rien que de la voir là-haut.

Dans deux ans d'ici, se dit-il, j'entrerai au lycée. Qu'ils le veuillent ou non, j'irai. S'ils disent non, je m'enfuierai et, quand la police m'attrapera, je dirai pourquoi. Je peux le raconter aussi aux journaux. Je dirai : « Me voilà, un petit Indien intelligent, qui veux faire mon chemin dans la vie, seulement mes parents refusent de me laisser fréquenter le lycée. » Alors tout le monde est aux petits soins pour moi. On m'emmène, on me met à l'école. Je peux apprendre... apprendre les fusées, apprendre les étoiles, apprendre l'espace. Tout apprendre.

Et un jour je monterai là-haut dans le noir vous rendre visite, Mirtin! Droit jusqu'à votre étoile! Ne l'avez-vous pas dit que nous irions là-bas bientôt? Que je serais avec les autres à ce moment-là?

Il sortit du village en flânant, traversa la place déserte, passa devant les ruines de la vieille kiva, avança sur les platières broussailleuses, longea la sous-station électrique. Il n'alla pas jusqu'à la grotte de Mirtin. Il savait qu'elle serait vide. A plusieurs reprises, Charley s'était rendu là-bas, simplement pour jeter un coup d'œil, mais c'était inutile d'accomplir ce pèlerinage par cette nuit froide. Il s'arrêta un instant au bord d'un arroyo, songeant au lycée et à ce qu'il y apprendrait, songeant aussi à ce que ce serait de quitter ce village avec son train-train léthargique pour entrer dans le monde des hommes blancs où quelqu'un qui est intelligent peut apprendre toutes les choses nouvelles.

Charley leva les yeux vers le ciel.

« Ohé, les Dirnans! appela-t-il. Êtes-vous là-haut, ce soir? Est-ce que vous me voyez? Ohé, c'est moi, Charley Estancia! C'est moi qui apportais les tortillas pour Mirtin! »

A quelle altitude volaient-elles, les soucoupes? Y en avait-il une qui allait et venait comme une flèche à quinze mille mètres au-dessus de sa tête, en ce moment même? Est-ce qu'ils avaient des machines capables de capter les voix sur la Terre?

« Vous m'entendez? cria Charley. C'est moi! Allez,

volez bas, que je vous voie! Je connais tout sur vous! »

Rien ne se produisit. Au fond, il ne s'y attendait pas. Mais il savait qu'ils étaient là-haut. Bien haut... qui observaient.

Il sortit le laser de sa cachette et le caressa. Le réglant pour un bref jet, il pressa le bouton et regarda le rayon jaillir et trancher la dernière branche basse dénudée d'un peuplier. C'était une belle invention, un jouet magnifique. Charley se promit d'apprendre un de ces jours comment il fonctionnait.

Il le rangea.

A mi-voix, il déclara : « Écoutez, je sais que vous êtes là-haut. Faites-moi un petit plaisir. Dites simplement de ma part à Mirtin que j'espère qu'il va guérir vite. Et dites-lui merci d'avoir bavardé avec moi. Merci de m'avoir tellement appris. C'est tout. Remerciez Mirtin pour moi, d'accord? »

Il attendit. Au bout d'un moment, rien ne s'étant passé, il se mit en route, en direction du pueblo. Il s'arrêta, ramassa un caillou, le lança dans l'arroyo. Son chien aboya et exécuta un grand bond, comme s'il montrait les dents aux étoiles. Une brusque rafale de vent mugit sur la platière.

Puis Charley vit au-dessus de lui un sillage brillant – une ligne de lumière vacillante qui semblait jaillir du sommet même du ciel et tomber doucement pour se perdre près de l'horizon. Le pouls de Charley s'accéléra – et il rit. Ce n'était pas un vaisseau dirnan, cette fois. Simplement une banale étoile filante, voilà tout. Il était capable de faire la distinction. Il savait. Ceci n'était rien d'extraordinaire, juste un fragment de roc et de métal qui se consumait en traversant l'atmosphère.

Mais il le considéra néanmoins comme un signe. Les compatriotes de Mirtin lui répondaient, le reconnaissaient. Ils étaient là-haut dans leurs vaisseaux à cet instant même. Ils veilleraient sur lui.

Il agita la main à l'adresse des étoiles.

« Merci, dit-il. Ohé, les Dirnans, merci! »

Il retourna vers le village au pas de course, le chien jappant sur ses talons – et ni l'un ni l'autre ne s'arrêta pour souffler avant qu'apparaissent les vieux bâtiments en adobe.

LA COMPOSITION, L'IMPRESSION ET LE BROCHAGE DE CE LIVRE
ONT ÉTÉ EFFECTUÉS PAR LA SOCIÉTÉ NOUVELLE FIRMIN-DIDOT
MESNIL-SUR-L'ESTRÉE
POUR LE COMPTE DES ÉDITIONS PRESSES POCKET
LE 13 AVRIL 1987

Imprimé en France
Dépôt légal : avril 1987
N° d'édition : 2390 – N° d'impression : 6617